D0813033

Comment choisir son psychanalyste

Oreste Saint-Drôme

Comment choisir son psychanalyste

Illustrations de
Jean-Jacques Sempé

Éditions du Seuil

COLLECTION DIRIGÉE PAR NICOLE VIMARD
AVEC EDMOND BLANC ET CLAUDE DUNETON

CE LIVRE A ÉTÉ ÉDITÉ
SOUS LA DIRECTION DE NATHALIE SAVARY

EN COUVERTURE : dessin de Sempé

ISBN 2-02-009449-5

Aux inventeurs anonymes de
— quelque part,
— au niveau de,
et autres expressions sans lesquelles nul discours psychanalytique ne pourrait être tenu.

Avant-propos

Ce livre s'adresse à tous ceux qui, brûlant de commencer une psychanalyse, n'ont qu'une très vague idée de la cuisine freudienne et des recettes qui en découlent.

Afin de savoir à quelle sauce on risque de les apprêter, ils réclameront cet ouvrage d'un ton clair et le saisiront d'une main ferme chez tous les bons libraires.

Les autres, déjà assaisonnés à la mode psychologue, psychiatre, psychanalyste et/ou analysés de part en part, l'achèteront en cachette ou le subtiliseront. Ce qui mérite sans conteste un nouveau tour de manège analytique. Voici de quoi les remettre en selle.

Nos remerciements vont :

— aux analysants qui, sans le savoir, nous ont révélé les us et coutumes de leur gourou,

— aux psychanalystes qui, à leur insu, nous ont donné à voir leurs intérieurs,

— enfin, et surtout, à nous-même, pour le service considérable que nous rendons à l'humanité souffrante.

Toute ressemblance avec des situations ou des personnages existants n'a rien d'une coïncidence : les exemples cités proviennent de certaines pratiques — avouables ! — du couple analyste-analysant.

Première partie

L'important, c'est d'oser

— Ce serait terrible si tout ça n'était réellement que d'origine sexuelle.

Vous avez décidé de commencer une psychanalyse, d'entreprendre une cure, de vous payer la première d'une longue série de tranches, bref d'entrer en analyse...

Bravo ! C'est la preuve que vous avez réussi à résister aux idées reçues et aux détracteurs, les unes étant véhiculées par les autres.

Des idées reçues

L'analyse :

— Ça éloigne de la religion.

Oui, un peu de psychanalyse en éloigne, mais beaucoup y ramène, surtout si l'on admet que Jésus était le premier psychanalyste.

— Ça fait divorcer.

Ça, c'est sûr, mais ce n'est pas une raison suffisante pour vous précipiter dans l'analyse.

— Ça enfonce.

Vous croyez que vous pouvez descendre plus bas ?

— Ça démobilise pour l'action de masse.

Si vous perdez l'action de masse, vous pouvez toujours retrouver l'action de grâces (cf. « Ça éloigne de la religion »).

— Ça vous démonte et vous laisse en plan avec les pièces détachées.

Trouvez un analyste méticuleux qui ne se goure pas au remontage entre les clients. D'accord, vous êtes là pour changer, mais pas pour échanger (vos charmantes particularités contre les vilains symptômes du voisin).

— Ça fait perdre toute son originalité.

L'original de votre vieille névrose a déjà été tiré à vingt-deux millions et demi d'exemplaires.

— Ça rend fou.

Objection ! La psychanalyse ne peut être tenue pour responsable de l'état de Khomeiny.

— C'est pas sûr que ça marche et puis c'est long.

Vous connaissez, vous, quelque chose de long, de bon et qui, en plus, marcherait à tous les coups ?

— C'est payer pour dire du mal de ses parents.

De toute façon vous en avez toujours pensé, pour le dire tout haut, il faut raquer.

— C'est le goulag.

Demandez donc à Soljenitsyne ce qu'il en pense.

— Ça fait passer à l'acte.

Vous croyez que les apôtres ont attendu Freud ?

— Ça rend sourd.

Vous confondez avec autre chose.

Des détracteurs

C'est fou, une fois votre décision annoncée, le nombre de gens qui vont essayer de vous en dissuader ; à peu près comme pour le mariage. Parmi les détracteurs avérés, on peut établir deux grandes catégories.

Ils y sont passés

a) Ça a très bien marché (ils ont quitté la Ligue communiste révolutionnaire pour le bureau politique du RPR) et il n'est pas question de vous en faire profiter.

b) Ça n'a pas marché (ils n'ont toujours pas pu épouser leur papa ou leur maman) et, on ne sait jamais, pour vous ça pourrait réussir.

c) Variantes

— Ceux qui sont furieux de ne plus pouvoir continuer à souffrir en rond.

— Ceux qui pensent que c'est la faute à leur analyse s'ils n'ont pas eu le Goncourt.

— Ceux qui « malgré des années d'efforts » n'ont pas réussi à divorcer...

ENFIN...

— Les analystes défroqués, les plus redoutables.

Ils n'y sont pas passés

a) Ils en rêvent mais ils n'osent pas.

b) Ils connaissent quelqu'un qui connaît quelqu'un qui en a fait une (cf. Idées reçues).

c) Ils sont également contre la vaccination antivariolique.

d) C'est votre père ou votre mère.

Vous ne vous êtes pourtant pas laissé impressionner, car vous aviez en tête la célèbre phrase de Freud : « *Die hunde bellen können geht aber die karawane vorbei*[1] ».

1.« Les chiens aboient, la caravane passe. »

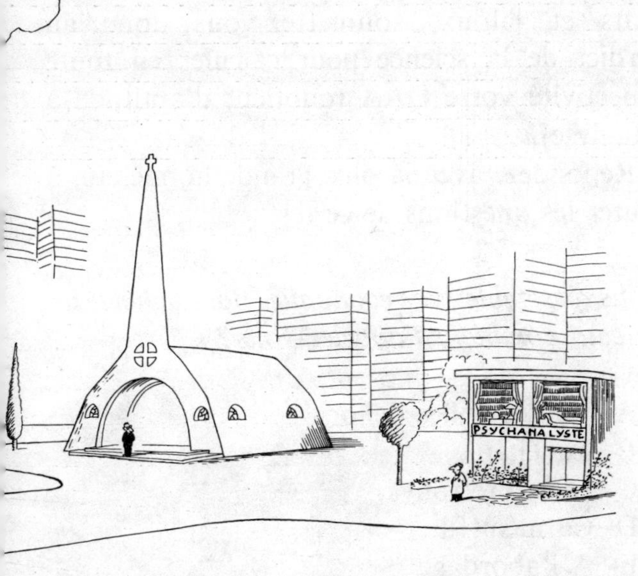

— Ou il a l'impression d'avoir péché et il est pour vous, ou il n'arrive pas à pécher et il est pour moi.

Et maintenant, avant qu'il ne soit trop tard, demandez-vous si vous en avez vraiment besoin.

Du besoin d'analyse

Au lieu de procéder à un référendum auprès de vos relations et amis, forcément malveillants et jaloux, soumettez-vous donc au verdict de la science pour calculer en toute objectivité votre QAA (quotient d'aptitude à l'analyse).

Répondez, avec la plus grande honnêteté, à toutes les questions de ce test :

Vous rassemblez vos économies pour acheter un bateau, comment l'appelez-vous ?

A- Toutes voiles dehors.
B- Le Titanic.
C- L'élan retrouvé.
D- Ça m'suffit.
E- A l'abordage

Qu'est-ce qui représente le mieux, pour vous, le génie français ?

A- Versailles.
B- Le bidet.
C- La carte de priorité.
D- La gitane filtre.
E- Les histoires belges.

Quelle plante cultiveriez-vous sur votre balcon ?

A- Du cannabis, c'est bon pour la soupe.
B- Des poireaux à cause de la hausse des prix.
C- Des pois de senteur comme Mimi Pinson.
D- Du mouron pour les petits oiseaux.
E- Des plantes carnivores pour vous débarrasser des mouches.

Bien sûr, vous ne l'avoueriez pas, même à votre futur psychanalyste, mais à quelle forme de sorcellerie seriez-vous enclin à croire ?

A- Le philtre d'amour à base de bave de crapaud et de poudre d'araignée.
B- L'envoûtement par aiguilles enfoncées dans des poupées.

C- L'exorcisme pratiqué par un prêtre défroqué.
D- Le sacrifice d'agneau de lait un soir de pleine lune.
E- L'association crucifix-eau bénite-gousse d'ail.

Indépendamment de son sens, laquelle de ces expressions latines sonne le mieux à votre oreille ?

A- Vade retro, Satanas.
B- Fluctuat nec mergitur.
C- Post coïtum animal triste est.
D- Veni, vidi, vici.
E- Ite missa est.

Parmi ces chefs-d'œuvre de la peinture, vous préférez :

A- La Joconde.
B- La Prise de la smalah d'Abd-el-Kader par les troupes du duc d'Aumale.
C- L'Homme à l'oreille coupée.
D- Les Demoiselles d'Avignon.
E- La Leçon d'anatomie.

Parmi ces grands moments de la mémoire collective, lequel parle le plus à votre cœur?

A- La prise de la Bastille.
B- La perte de l'Alsace et de la Lorraine.
C- La Pucelle gardant ses moutons à Domrémy.
D- L'assassinat d'Henry IV par Ravaillac.
E- La mort du président Félix Faure.

Si vous avez coché deux fois la même lettre, et comme il n'y a pas de hasard, la cause est entendue. Vous en aviez envie, désormais vous êtes sûr d'en avoir besoin. Mais de quoi au juste?

De la définition de la psychanalyse

Définir la psychanalyse est une entreprise hasardeuse. J. Laplanche et J.-B. Pontalis s'y sont cependant risqués dans *le Vocabulaire de la psychanalyse*, cette référence biblique bien connue :

« Méthode fondée sur la mise en évidence de la signification inconsciente des paroles, des actions, des productions imaginaires (rêves, fantasmes, délires) d'un sujet (...) et spécifiée par l'interprétation contrôlée de la résistance, du transfert et du désir. »

Intellectuel, non ?

Comme d'habitude, Lacan simplifie les choses dans ses célèbres *Écrits*.

« La psychanalyse ne vise à rien d'autre qu'à assurer l'imaginaire dans sa concaténation symbolique, car l'ordre symbolique exige trois termes au moins, ce qui impose à l'analyste de ne pas oublier l'Autre présent, entre les deux, qui d'être là, n'enveloppent pas celui qui parle. »

Élémentaire !

Vous n'êtes pas plus avancé pour autant. L'étiquette psychanalytique collant, de nos jours, à tout et à n'importe quoi, essayons de définir la psychanalyse par ce qu'elle n'est pas.

Par conséquent, si celui ou celle qui officie sous l'étiquette d'analyste :

— vous propose de vous allonger sous le matelas pour mieux appréhender l'état de votre « ça »,

— vous raconte ses rêves tout en vous proposant une tasse de thé,

— vous impose de crier « non, non, non » pendant une heure,

— vous invite à vous déshabiller pour masser votre zone « maman-bobo »,

— vous demande de venir au rendez-vous en compagnie de votre concubine, de vos ex-épouses, de votre maîtresse enceinte, de votre mère, de votre père et de sa femme, de vos frères et sœurs des différents lits sans oublier leurs conjoints, etc.,

— vous introduit dans une pièce où trônent un fauteuil et plusieurs canapés,

vous pouvez au moins être sûr d'une chose, ce n'est pas de la psychanalyse.

En effet, pour dire les choses simplement, la psychanalyse c'est ce qui se passe quand un quidam, allongé sur un divan, raconte tout et n'importe quoi à un individu qui, lui, la ferme hermétiquement. Cette rencontre se produit du fait d'une irrésistible poussée dénommée transfert [1]. Cet exercice est supposé vous guérir de vos symptômes divers et variés. Il n'est pas important, dans cette entreprise, de lire Freud dans le texte, de discourir savamment, de se souvenir de ses rêves, de faire des lapsus au bon moment. Ce qui compte c'est de trouver l'individu qui, au terme d'un long entraînement, a pu faire sienne la célèbre devise « le silence est d'or », tout en

1. Pour ce terme, comme pour d'autres, le lecteur soucieux de se familiariser avec le vocabulaire de base peut se référer dès maintenant à notre rubrique « Mots clés » (p. 71).

vous donnant quand même l'envie de revenir plusieurs fois par semaine, pendant X années, jusqu'à épuisement des stocks. C'est cet oiseau rare qu'il faut dénicher, un vrai psychanalyste à votre pointure. Ne croyez pas que vous pourrez le découvrir à l'usage. Une fois que c'est parti, c'est parti ! Il vous faudra aller jusqu'au terminus ou sauter en marche.

En effet, on peut comparer le parcours analytique à un voyage en chemin de fer. Il s'agit de vous transporter, en position allongée, d'un point à un autre, dans un convoi où vous êtes le seul passager. Ce voyage analytico-ferroviaire vous réserve des surprises. Même si vous savez que vous devez partir « d'où j'en suis » (disons Paris-Montparnasse) pour arriver « à un mieux-être » (par exemple Vladivostok-Central), vous n'aurez aucune certitude sur la durée de la balade, aucun contrôle sur les pays que vous allez traverser, peu de possibilités d'intervenir sur les arrêts interminables en rase campagne ou sur les emballements intempestifs de la loco. Il faut s'en remettre au pilote, qui, tout en vous persuadant que seule votre énergie libidinale fait avancer les wagons, est l'unique maître à bord. Mais, sous la casquette freudienne, un analyste peut en cacher un autre. Assurez-vous, avant de monter dans le train, que vous n'avez pas affaire à un machiniste fou, incapable de respecter la signalisation en vigueur.

En consultant notre ouvrage, véritable indicateur Chaix du réseau analytique, vous pourrez choisir votre type de conducteur, les conditions matérielles du voyage, bref, vous pourrez faire la part entre le bon train et l'ivraie.

Deuxième partie

Tout ce que vous avez toujours voulu savoir sur l'analyse sans oser le demander

Du sexe (le sien)

Homme ou femme? *That is the question.* Certainement. Bien qu'il s'agisse d'une psychanalyse et non d'un mariage. Les contre-exemples, sous forme d'union légitime (non, nous ne citerons pas de noms, pas question de faire de la publicité), ne seront pas traités ici. Une pudeur bien naturelle pourrait vous conduire à ne dévoiler les dessous de votre inconscient qu'à un individu de votre genre grammatical. Libre à vous. Sachez cependant que vous ne ferez pas l'économie de votre Œdipe direct en vous précipitant sur un thérapeute aux caractères sexuels secondaires identiques aux vôtres.

Par ailleurs, vous n'échapperez pas à la rencontre avec votre homosexualité latente en choisissant un analyste de l'autre sexe. Le Manque, en la matière, est incontournable. Évitez comme la peste les analystes invertébrés style escargot, sangsue, ver de terre. Ces variétés hermaphrodites risqueraient de vous friser l'identification secondaire en spirales.

Du sexe (le vôtre)

Votre sexe ne devrait pas compter pour le praticien, en principe capable d'analyser indifféremment mâle ou femelle. Autant vous le dire tout de suite, ce n'est pas votre sexe qui l'intéresse, c'est votre sexualité. Ne cherchez cependant pas à la rendre plus captivante qu'elle n'est. Nul besoin de vous transformer, dans la réalité, en nymphomane privée de satyre, en exhibitionniste de confessionnal, en sado-maso harnaché de cuir et bardé de cilices pour faire avancer le schmilblic. Pas la peine, non plus, de concentrer votre discours sur vos fantasmes sexuels en privilégiant les aspects les plus croustillants de vos scénarios pervers. Bien que la psychanalyse ne se réduise pas à une théorie pansexuelle, les manifestations de votre sexualité inconsciente apparaissent surtout quand vous ne les attendez pas. (C'est d'ailleurs là que ça devient rigolo.) Vous dévoilez beaucoup plus les tourments de votre libido lorsque, en décubitus dorsal, vous énoncez : « Le fond de l'air est frais. »

De l'âge (le sien)

Trop jeune, pas encore rodé, trop vieux, risques de pannes répétées, voire d'arrêt définitif au milieu de la manœuvre. Faute de cote individuelle à *l'Argus*, nous vous proposons de calculer l'âge idéal de votre analyste selon la formule mathématique suivante :

$$\frac{\text{Âge de l'analysant (en mois)}}{2} \times 0{,}5 + 20$$

qui a l'avantage de vous faire saisir au premier coup d'œil que ce qui compte ce n'est pas la limite d'âge de l'analyste mais la vôtre.

De l'âge (le vôtre)

Y-a-t-il un âge idéal pour commencer une analyse et, a contrario, existe-t-il une limite au-delà de laquelle votre passeport pour l'analyse risque d'être périmé et non renouvelable?

Rappelons que pour entamer une cure psychanalytique, une vraie, il faut remplir impérieusement les trois conditions suivantes, indissociablement liées :

— pouvoir volontairement s'allonger sur un divan;

— avoir accédé au langage articulé;

— payer soi-même ses séances en argent liquide gagné à la sueur de son front.

Sans être formellement contre-indiquée, la psychanalyse du vieillard ne nous paraît pas une solution adaptée à l'issue prévisible et fatale. Nous conseillerions plus volontiers la cure climatique et thermale, moins débilitante et remboursée par la Sécurité sociale. Bien sûr, si l'analysant de quatre-vingts balais a commencé son analyse à vingt-cinq ans, celle-ci doit être poursuivie.

L'adolescent accepte difficilement une entreprise visant à le rendre plus supportable pour ses parents, puisque son but est de leur en faire baver un max.

Si l'enfant ne fait en général aucune difficulté pour dessiner, tripoter de la pâte à modeler, démantibuler des marionnettes, surtout si c'est pendant les heures scolaires, pas question cependant de le clouer sur un divan trois quarts d'heure d'affilée.

Quant au nourrisson, par définition à l'aise dans cette position, ses areuh, areuh et autres ba, bi, be, ne peuvent en aucun cas passer pour des associations libres. Pour ne rien dire du mode de paiement.

D'emblée, vous saisissez l'évidence : la cible visée par le psychanalyste, par suite le candidat rêvé, c'est l'individu dans la pleine maturité sociale, professionnelle et économique. Cela n'empêche pas de nombreux psychanalystes de se poser comme spécialistes de l'adolescent, de l'enfant, et du nourrisson. Nous vous laissons juge du bien-fondé de ces pratiques.

De la religion

Cela n'aurait strictement aucune importance s'il n'y avait pas les jours fériés, qui, eux, en ont une considérable. D'abord, ça permet de souffler, d'autant que (selon un accord préalable) vous ne paierez pas. Tout se complique si vos calendriers religieux sont différents. S'il vous est insupportable de vous allonger le jour de Noël, à la Toussaint, et pour Pâques, si vous ne voulez pas casquer à Yom Kippour, Roch Hachana, ou enfin le vendredi et le jour de Kébir, alors assurez-vous d'emblée des croyances de votre gourou.

De la durée

A la question : « Combien de temps ça dure ? » nous serions tenté de répondre : « Qu'est-ce que ça peut bien faire ? »

De deux choses l'une. Ou bien votre séance est un supplice qui s'apparente au fraisage d'une molaire jusqu'à la pulpe sans anesthésie. Dans ce cas, un bon conseil : barrez-vous ! Deux gaillards musclés et tatoués qui vous maintiennent sur le divan pendant que l'analyste officie, ça, on n'a jamais vu. Ou bien c'est un délice, et il n'y a pas de raison que cela s'arrête.

Vous avez mis au moins vingt-cinq ans pour mettre la pagaille dans votre Moi, votre Ça et autre Surmoi, et vous voudriez que l'on vous bricole la névrose en six mois ? Pas question de vous balader dans votre inconscient au pas de charge. Vous êtes là dans un labyrinthe, pas sur un sentier de grande randonnée. Expliquons en termes simples : c'est comme le téléphone. Il ne suffit pas de composer les huit chiffres pour obtenir la communication. Le plus souvent, vous êtes mal dirigé, les circuits sont embouteillés, le PCV a été supprimé et vous n'avez pas de monnaie, vous êtes plusieurs sur la ligne et ça tourne au *Navire Night* de Duras (Marguerite), enfin il n'y a pas d'abonné au numéro que vous avez demandé. Bref, il faut soit renouveler votre appel, soit solliciter votre Minitel.

Pas la peine de tourner autour du pot. Une analyse ça dure un certain temps... généralement long. Si ça peut vous consoler, dites-vous que c'est encore plus interminable du côté de l'analyste. Pas pour son contre-transfert mais pour ses dorso-lombaires. Quant à vous, prévoyez une petite dizaine d'années, et si ça traîne plus longtemps tant mieux pour vous. Certains s'imaginent qu'en y mettant le paquet, ils vont brûler les étapes (sous prétexte qu'ils sont passés directement de la maternelle, moyenne section, au cours élémentaire, première année). Eh bien non ! Même si vous avez dégotté un analyste qui travaille samedi, dimanche et fêtes, Kippour et Ramadan, et même jusque sur le lieu de ses vacances du mois d'août, ça n'ira pas plus vite.

Cessez de croire que les bienfaits de l'analyse ne se font sentir que lorsque « *The end* » s'inscrit sur l'écran. C'est le fantasme « Lève-toi et marche ! ». La réalité est plus prosaïque. Des améliorations peuvent advenir dès la première séance. Telle qui saignait comme un cochon voit son stock d'hémoglobine reconstitué en vingt minutes. Tel qui était couvert d'eczéma n'en croit pas ses yeux dans la vitrine du bureau de tabac. Non, ce n'est pas Lourdes et nous pourrions même vous théoriser tout ça. A quoi bon, l'important n'est-il pas que vos hémorragies intempestives soient taries et que vous ne vous grattiez plus comme un dément ? Des esprits chagrins rétorqueront que ces petits ennuis peuvent réapparaître et que d'autres bien plus cognés vous attendent au tournant. Rien à voir. Les douleurs abdominales qui vous font appeler quotidiennement SOS médecins, la paralysie soudaine en plein coït, les crises migraineuses du samedi matin au dimanche soir sont un véritable don du ciel lorsqu'elles surviennent au cours de la traversée freudienne, en vertu de la loi suivante : si en temps habituel les symptômes n'ont ni queue ni tête, en analyse, ils ont un sens. Ça fait, comme on dit, du matériel à A-NA-LY-SER . Quand vous aurez séché sur votre divan pendant six semaines vous comprendrez. Dans ces cas-là : vive la migraine.

De toute façon, compte tenu du stress de la vie moderne, se retrouver en position allongée dans le silence quatre fois par semaine, c'est un luxe qu'il faut savoir faire durer.

Du divan

Descendant du « diwan » persan ou turc, le divan de l'analyste a perdu entre Topkapi et la montagne Sainte-Geneviève, en passant par

Wien, Bergstrasse 19, le moelleux, le douillet, le raffinement, la souplesse, la somptuosité qui caractérisaient ce lit de repos, quintessence de l'Orient.

De nos jours, il se résume généralement à un sommier et à un matelas recouverts d'une étoffe choisie pour sa résistance aux tractions, sa couleur verdo-marronnasse ou son imprimé anti-taches.

Le divan n'est pas seulement le lieu de vos épanchements, c'est surtout un concentré des symptômes de votre analyste qui mérite, de votre part, une attention toute particulière.

Cet objet se compose — en principe — de trois parties :

• La partie la plus longue est le repose-corps qui s'étend entre le repose-pieds et le repose-tête. Elle est habituellement plane. Elle accuse parfois une forme en creux. Soit l'état des ressorts est déplorable, soit l'analyste a oublié de bourrer le divan de coups de poing entre deux patients pour lui redonner une forme plus disciplinée.

• Le repose-pieds est constitué d'un morceau de tissu coupé de travers et posé de guingois, identique à celui qui recouvre le divan. Il évite que deux trous ne se forment à la longue à la place des talons, nerveusement frottés l'un contre l'autre.

• Le repose-tête est en général un coussin recouvert d'un quelque chose qui évite le contact direct de la tête et qui, en principe, doit être changé entre deux analysants, coutume qui tend à se perdre. Ce quelque chose peut être, selon le degré de sophistication ou d'originalité de l'analyste :

— un Kleenex,

— un mouchoir ourlé de dentelle et monogrammé d'une initiale différente de la sienne (tiens, tiens),

— un rectangle découpé dans un vieux drap élimé,

— une de vos écharpes qu'il conserve dans un rond de serviette,

— un échantillon des Toiles de Mayenne.

Le repose-pieds et le repose-tête ne sont pas là pour votre confort. Ils visent à traquer les bactéries, les microbes, les déchets, les miasmes que vous pourriez trimbaler. Selon que l'analyste change le Kleenex à chaque séance ou qu'il laisse s'encrasser le coussin de multiples couches séborrhéiques, il se révèle extravagant, obsessionnel, radin ou dégueulasse.

De même pour le repose-pieds. S'il est

composé d'une plaque de zinc, l'analyste a de grandes chances d'être phobique comme un pou et de se protéger de votre agressivité par une carapace de même métal.

Nous allions oublier une éventuelle quatrième partie qui doit vous faire fuir séance tenante : le repose-fesses, alèze ou Pampers dont nous vous laissons deviner sous les couches manifestes les matières latentes.

Conscients de la trahison possible des variations du divan standard, certains psychanalystes, parmi les plus retors, tentent d'échapper à

votre perspicacité en déguisant leur divan. C'est ainsi que nous avons pu observer :

— une chaise longue de Le Corbusier en poulain et structure d'acier,

— un lit de camp,

— un transatlantique recouvert d'un duvet du Vieux Campeur,

— un hamac,

— un lit en fer à boules de cuivre.

Notre enquête étant exhaustive, nous pouvons affirmer que l'originalité s'arrête à peu près là. Soyez d'une extrême prudence si

l'on vous propose de vous allonger sur ou dans :

— une baignoire à pieds griffon,

— un tatami,

— une planche à clous,

— une malle-cabine Vuitton,

— un lit clos (même si l'analyste est originaire de basse Bretagne).

Nombreux sont ceux qui se demandent de quelle façon il convient de s'allonger et de se tenir sur un divan d'analyste. L'interrogation est pertinente. Parler, couché, en tournant le dos à son interlocuteur, n'est pas une activité répandue à laquelle chacun aurait été dressé depuis sa plus tendre enfance.

Habituellement, l'analysant moyen pose son fessier sur le bord du dossier, fait pivoter ses jambes de façon que ses chaussures soient en contact avec le repose-pieds et, enfin, déroule sa colonne afin de porter sa tête sur le coussin. Cette façon de procéder est, en outre, vivement recommandée par les kinésithérapeutes.

Si vous vous jetez sur le divan à plat ventre en faisant voltiger les coussins, cette confusion avec votre plumard pose problème, mais vous êtes là pour ça. Si vous vous obstinez à mettre votre tête sur le repose-pieds, et vos pieds sur le repose-tête, pas d'affolement vous aurez là encore tout loisir de saisir le pourquoi de cette inversion.

Une fois installé, vous pourrez prendre vos aises dans les limites de la décence. Vous aurez gardé vos chaussures et, bien sûr, vos vêtements. Vous pouvez, à la rigueur, desserrer votre ceinture d'un cran, bien qu'en l'occurrence le temps soit plutôt à se la serrer (la ceinture).

De l'argent

Nous y voilà. S'il peut y avoir de l'argent sans analyse, il ne saurait exister d'analyse sans argent. En effet, les coquillages et les dents de caméléon ne sont pas encore monnaie courante dans le serpent européen. Le troc n'est plus guère répandu sous nos climats et risquerait de transformer l'espace freudien en champ de foire. Une pleine brouette de poulets ou de canards attachés par les pattes est moins maniable que deux-trois billets de cent francs. Bricoler la tuyauterie de votre analyste, en échange d'une séance, risquerait de perturber inutilement le transfert. Quant au paiement en nature, il doit être évité à tout prix. Restent les espèces sonnantes et trébuchantes qui semblent avoir été inventées pour cela.

Et les chèques, direz-vous, ce mode de paiement si commode ? Justement. Même l'analyste le plus inexpérimenté dans la cure et le plus hésitant quant à la théorie sait d'instinct — et toutes écoles confondues — qu'il n'est pas là pour vous faciliter la tâche. De plus, s'il accepte une fois votre CCP, vous allez vouloir lui refiler vos chèques-restaurant, et, le coup d'après, vos bons d'essence. Retirez-vous de la tête l'idée extrêmement vulgaire que cela pourrait peut-être l'arranger, lui, pour de sombres raisons de dissimulation fiscale que votre paranoïa va jusqu'à imaginer. Les polyvalents, ces incompris et ces mal-aimés de notre société, baignent suffisamment dans la frustration pour se retrouver sur un divan et savoir, eux, au centime près ce que cela leur coûte.

L'argent ne se donne pas n'importe quand, n'importe comment. Le plus simple serait de le remettre de la main à la main à la fin de la séance. C'est compter sans les analystes purs et durs qui gardent obstinément leurs mains dans les poches pour éviter tout contact, même par le truchement d'une grosse coupure. L'analysant doit faire

— Ce qui m'inquiète, c'est que, de libération en libération, je suis arrivé à un blocage angoissant : celui de mon compte en banque.

preuve d'une certaine dose d'astuce pour s'acquitter de sa dette, tout en respectant certaines limites. Pas question de fourrer les billets dans le soutien-gorge de l'analyste. Évitez de jeter les fafiots roulés en boule dans la poubelle. Dites-vous bien que le sac bourré de pièces de dix centimes est un gag éculé. Faites donc simplement comme tout le monde, déposez vos bank-notes à l'extrémité droite du bureau selon un angle de 180° avec la fenêtre.

Pourquoi ne pas payer au mois, voire au trimestre? Cette simple question souligne à quel point ce geste est douloureux pour vous. Aussi, il est urgent de vous l'imposer à doses répétées pour vous permettre d'analyser tous les ratés qui viendront perturber le rituel et qui sont hautement révélateurs de votre psycho-névrose. Vous avez oublié — entre guillemets — votre fric. Vous n'arrivez pas à le retrouver dans votre poche intérieure où vous aviez pourtant vérifié dix-huit fois qu'il se trouvait. Vous n'avez pas réussi à vous procurer de la monnaie malgré vos supplications à l'aveugle-mendiant du coin. Enfin, puisque l'équation argent = caca est une des pierres angulaires de la construction analytique (même vous, vous en avez entendu causer), il est facile de comprendre qu'il est plus sain d'exécuter régulièrement l'opération plutôt que de se restreindre à une fréquence mensuelle.

Dans le même ordre d'idées, et pour ne pas interrompre la fluidité de l'interaction, vous devez payer les séances que vous n'honorez pas de votre présence matérielle. Ce n'est pas parce que vous partez en vacances qu'il ne faut pas raquer. « Congés payés » signifie, bien évidemment, payés à l'analyste. Ne croyez pas être quitte, madame, si vous êtes enceinte. Il vous faudra venir jusqu'au bout, au risque de percer la poche des eaux sur le divan. Nous ne vous ferons pas l'injure de vous expliquer pourquoi il convient de régler une séance loupée pour cause de grippe. Sur ce point, un enfant de six ans est au parfum. Il est, à première vue, moins évident d'avoir à payer si vous venez d'être renversé dans les clous, au feu rouge, par un chauffard aviné et récidiviste. Détrompez-vous. Cela s'appelle un acte manqué et vous devrez en rendre compte avec votre minerve plâtrée et le *pretium doloris* accordé par l'assurance. En revanche, l'auteur ne serait pas fâché qu'on lui explique le bien-fondé du règlement de la séance loupée pour cause de mobilisation générale avec réquisition des transports publics et privés. Il n'est pas sûr, en dépit d'un survol serré de la littérature, que la théorie soit tout à fait au point sur cette question.

Inutile, après ça, de réclamer une feuille de Sécurité sociale. Outre que votre analyste ne sait même pas à quoi ça ressemble, cela prouve que vous, vous n'avez rien compris à la dynamique de l'analyse : IL FAUT PAYER.

Du juste prix

Autrement dit, combien ça coûte. Le bon sens fait répondre c'est variable. Si vous désirez un analyste griffé IPA[1], Gallimard, France-Culture, ça vous coûtera forcément un maximum. La tentation de choisir un jeune moins doré sur tranche doit être tempérée par la nécessité pour lui d'amortir ses frais d'installation. Le coût global d'une analyse est difficile à évaluer, les ex-analysants n'ayant pas la propension à s'en vanter. Seul un ex-chef maoïste a reconnu, à la télévision, que la sienne avait coûté trente briques. Ce qui corrobore notre unité de base, éta-

1. International Psychoanalytical Association.

blie après de savants calculs : une analyse = une maison de campagne. De la bicoque en Picardie à la bastide dans le Lubéron.

Le prix des séances est fixé en principe par le seul arbitraire de l'analyste. Il se fera une opinion, à la fois sur vos revenus et vos signes extérieurs de richesse. C'est ainsi qu'il peut vous demander plus que vous ne gagnez. Ça c'est déjà vu. Vous ne feriez que payer pour tous ceux qui ont menti avant vous et s'en sont confessés par la suite sur le divan. Évitez de vous présenter en manteau de zibeline avec un diamant de huit carats, même si c'est tout ce qui reste de l'héritage de votre grand-mère. Avec délectation, il vous fera mettre fourrure et bijoux chez « Ma Tante ».

De toute façon, il faut toujours marchander, comme pour les tapis au bazar d'Istanbul. Ça fait partie de la transaction. Ne ratez pas la seule et unique occasion de contempler votre analyste saisi par le Verbe. Rien d'autre ne le rendra jamais aussi loquace, véhément et persuasif. Même l'annonce de votre imminent mariage avec sa femme de ménage.

De la neutralité

Votre analyste est un homme ou une femme comme les autres, mais il ne doit pas vous le montrer. D'ailleurs, vous ne voulez pas le savoir. Afin de vous maintenir dans cette nécessaire illusion, il faut éviter toutes les situations et les figures de style qui pourraient faire chuter dans le *vulgum* cet être admirable.

Ne croyez pas que cela soit facile, même dans une grande métropole propice à l'anonymat. Évitez soigneusement de fréquenter pendant dix ans l'inauguration de la FIAC, la foire du Trône, l'Opéra, le bistrot à vins en bas de chez vous, les cinémas d'art et d'essai, votre petit marché du dimanche matin et la Samaritaine le samedi après-midi. Si malgré tout, par le hasard des démariages et des remariages, vous vous retrouvez témoin de ses noces, le jour où il épouse votre ex-conjoint, nul ne pourra être tenu pour responsable. C'est le destin. Mais vous comprendrez alors ce que neutralité veut dire.

De la guérison

Si vous voulez guérir, c'est que vous vous sentez malade, que vous souffrez. C'est une très bonne façon de commencer. C'est même la seule. Certains originaux prétendent se lancer dans l'analyse, alors que tout va bien, pour mieux se connaître, découvrir leur moi profond, devenir eux-mêmes analystes et autres balivernes. Ceux-là, en vérité, sont bien mal barrés.

De quoi pouvez-vous légitimement guérir ?

Si l'on reprend à notre compte l'antique distinction psyché/soma, il faut distinguer entre les plaies affectant votre corps et les blessures qui tailladent votre âme.

Une chose est sûre, l'analyse s'adresse aux troubles physiques qui vous torturent régulièrement et devant lesquels la Faculté reste impuissante et votre bon docteur plus que sceptique. Ce qu'il traduit par la formule : « c'est nerveux », ou, s'il assiste aux entretiens de Bichat, par : « c'est psychosomatique ».

Les symptômes suivants, s'ils vous gâchent

l'existence, méritent de mettre en branle la machine analytique. Outre la rate qui se dilate..., vous pouvez espérer guérir :

De tout ce qui fait mal

Aucune liste exhaustive ne pouvant être établie, nous citerons les organes-cibles les plus fréquemment utilisés. L'intestin, gros et grêle, l'estomac, à l'entrée et à la sortie, la vessie et tous ses confluents, le dos, surtout le bas, et la tête (« alouette »), s'ils sont le lieu de pincements, de brûlures, de triturations, de spasmes et de contractures, d'hémorragies voire de nécroses.

De tout ce qui gratouille

Moins grave, puisque cela ne fait que suinter et démanger. Mais alors ! Les pustules, les macules érythémateuses, les papules épidermiques, les folliculites, les vésicules purulentes, les lésions squameuses, surtout lorsqu'elles frappent en pleine poire, font saigner le narcissisme.

Si tous ces troubles, que d'aucuns pourraient être tentés de traiter par l'allopathie, relèvent de

1

2

3

4

5

6

7

8

l'analyse, que dire des désordres affectivo-émotionnels pour lesquels n'existent ni potions ni onguents ? La psychanalyse demeure la thérapeutique souveraine pour :

— vos petites phobies,
— vos grandes obsessions,
— vos paquets d'angoisse,
— votre dépression venue d'Irlande,
— vos mille et une nuits d'insomnie,
— votre certitude dans le doute,
— vos inhibitions érotiques,
— vos sempiternelles questions sur l'utilité de l'analyse.

Quoi qu'on puisse vous dire par ailleurs, la géniale invention freudienne n'est d'aucun secours dans les cas suivants :

— l'infarctus du myocarde postéro-antérieur,
— la fracture de Dupuytren,
— la leucémie,
— le SIDA,
— les irradiations atomiques.

Quelle que soit la couche des symptômes initiaux que vous traînez sur le divan, ce n'est qu'une couverture que vous vous êtes fabriquée, une maille à l'endroit, une maille à l'envers, pour tenir au chaud votre psychonévrose. L'analyse consiste à la détricoter rang par rang, symptôme par symptôme. C'est ce que vous seriez tenté d'appeler guérison. Mais ne vous réjouissez pas trop vite, attendez de voir ce que ça cache. Vous finirez par découvrir, un jour, les authentiques misères que recouvraient vos petits bobos mensongers. Ce jour-là, vous comprendrez pourquoi un psychanalyste digne de ce nom ne prononce jamais le mot de guérison. Ce n'est pas pour rien que, depuis des décennies, les traducteurs successifs de Freud s'empoignent sur la traduction idoine de *Die endliche und die unendliche Analyse*. Analyse terminée et interminable, finie et infinie, avec fin et sans fin... Nous préférons, quant à nous, employer les termes plus concrets de « ratée » ou « réussie ».

Critères d'une analyse réussie

C'est quand vous pouvez dire :

— Je ne peux toujours pas aller au cinéma tout seul mais j'assume.
— Je peux porter des rayures avec des pois.
— Maintenant je mange du fromage.
— La religion, ça a du bon.
— Le changement ça n'existe pas.
— Je suis psychanalyste.

— Excusez-moi de vous déranger, je ne viendrai plus si vous le permettez, car ça m'ennuie beaucoup de vous le dire, mais je ne ressens plus aucun sentiment de culpabilité.

Critères d'une analyse ratée

C'est quand on dit :

— Je suis psychanalyste.
— Le changement, ça n'existe pas.
— La religion, ça a du bon.
— Maintenant, je mange du fromage.
— Je peux porter des rayures avec des pois.
— Je ne peux toujours pas aller au cinéma tout seul mais j'assume.

De la fréquence

Une fois établi, en principe avec votre accord, le nombre des séances est invariable. N'allez pas, dans votre enthousiasme ou votre radinerie, accepter n'importe quel rythme. La fourchette s'établit entre deux et cinq séances hebdomadaires.

Au-delà, c'est du chantage, du détournement de fonds caractérisé. En deçà, vous aurez certes le temps d'atteindre la porte de votre refoulement mais certainement pas celui de l'entrouvrir.

Du début et de la fin de l'analyse

Le début ne coïncide pas forcément avec l'instant où tout bascule avec vous sur le canapé. Pendant une certaine période, vous aurez tendance à confondre psychanalyse et confesse.

Les choses sérieuses commenceront quand vous aurez avoué tous les petits secrets honteux de votre pauvre existence. Alors, un conseil, ne perdez pas de temps, déballez tout, le plus vite possible. En effet, l'important ce n'est pas ce que vous êtes capable de dissimuler mais ce que vous planquez à votre insu.

La fin, c'est une autre paire de manches (cf. « Combien de temps ça dure ? »). Aucun analyste n'a encore pu se mettre d'accord avec un de ses coreligionnaires pour fixer des critères objectifs, ou même subjectifs, à l'issue de l'aventure. On ne s'arrête pas quand on n'a plus rien à dire. Justement, c'est là qu'il faut continuer. On ne s'arrête pas quand on en a marre. C'est en insistant qu'on découvre les cadavres dans le placard. On ne s'arrête surtout pas quand on n'a plus un rond, ça ferait rigoler tout le monde.

Il paraît que l'analyse est terminée quand l'analysant a traversé son fantasme fondamental. Ça peut arriver à tout moment sans klaxonner. C'est en prévision de ce jour dangereux que l'on vous apprend, depuis que vous êtes tout petit, qu'il faut faire bien attention en traversant.

Du face-à-face

C'est, comme l'expression ne l'indique pas, lorsque vous êtes assis sur un siège à quatre-vingt-dix degrés par rapport à celui de l'analyste. Ce dispositif permet d'éviter une intimité visuelle trop grande à moins d'être affligé d'un strabisme divergent. Ce scénario est particulièrement utilisé lors des séances préliminaires. Le nombre de celles-ci fixe la durée de la contemplation réciproque qui ne doit pas s'éterniser.

Variante sophistiquée du face-à-face, le dos

(de l'analysant) à face (de l'analyste). Cette position n'est pas réservée aux adeptes du Kama-sutra mais aux phobiques du divan ou aux handicapés de la colonne vertébrale. Le dos-à-face est bien sûr, vous l'avez compris, la seule position analytique possible pour les paraplégiques. Le face-à-face, quant à lui, est strictement impossible pour les tétraplégiques.

De l'analyse profane

Ce terme ne doit pas vous faire sursauter. Cela ne signifie pas que votre thérapeute soit étranger à la religion freudienne ou qu'il ne touche pas sa bille dans la pratique de la cure. Ça veut simplement dire qu'il n'est pas docteur en médecine. Le grand Sigmund, lui-même « docteur », ne désirait pas que la chose freudienne tombât entre les pattes exclusives du corps médical. Devant ce paradoxe, la plupart des praticiens, en particulier en Amérique du Nord et en Grande-Bretagne, ont estimé que la faculté de médecine était la meilleure antichambre pour l'exercice du noble art.

En France, pays comme chacun sait plus bordélique, on est loin de trouver la même unanimité. L'éventail des professions de base est des plus ouverts. La liturgie peut être célébrée par des servants variés à condition qu'ils donnent dans l'« humain », au sens large. C'est ainsi que l'on rencontre à la tête des divans : psychologues, orthophonistes, assistantes sociales, éducateurs, mathématiciens, linguistes, juristes, architectes, chercheurs, anthropologues, historiens, sociologues, ethnologues, philosophes et littéraires de tout poil, surtout s'ils ont fait un détour par la rue d'Ulm.

L'expression profane est particulièrement inadéquate lorsqu'elle s'applique à des psychanalystes dont la profession originelle touche au sacré : jésuite, dominicain, petite sœur des Pauvres, docteur en théologie protestante. Seule la chrétienté semble touchée par le phénomène. En effet nous n'avons déniché ni rabbin[1] ni ayatollah[2] dans la boutique freudienne.

1 et 2. Si vous avez rencontré, prière de nous le signaler.

De l'analyse en groupe

Non, il ne s'agit pas de la psychanalyse *de* groupe, pratique contre nature que nous ne saurions trop condamner mais de l'analyse *en* groupe, c'est-à-dire de la présence sous le même toit d'un certain nombre de praticiens.

Si les psychanalystes, *stricto sensu*, répugnent à cohabiter avec leurs semblables de peur de se faire de l'ombre, ils n'hésitent pas, surtout au début de leur carrière, à partager l'espace avec d'autres professions libérales. Ceci est particulièrement commode pour l'hystérique qui peut, en sortant de sa séance, courir du gynécologue au kinésithérapeute, en passant par le phoniatre et l'acupuncteur, sans avoir à traverser la rue.

De quelques mots clés

Œdipe

Histoire d'un jeune homme d'une très bonne famille grecque qui, ayant par inadvertance descendu son père et, par mégarde, fait deux enfants à sa mère, s'est crevé les yeux pour ne plus voir le spectacle. Cette aventure banale qui se perd dans la nuit des temps continue à complexer tout un chacun.

Résistance

Attitude qui consiste par exemple à croire que l'histoire ci-dessus ne vous concerne pas le moins du monde.

Désir

Ne comptez pas sur nous pour vous donner une définition simpliste alors qu'il existe pour vous renseigner les quatre tomes du séminaire de Lacan : *le Désir et son interprétation*, qui, certes, ne se trouvent pas dans le commerce, mais circulent activement sous le manteau. Si vous ne deviez employer qu'un seul mot, ce serait celui-là. A toutes les sauces. Le désir de l'Autre. L'Émergence du désir. Identifier son désir. Une chose est sûre : ça n'a rien à voir avec ce que vous pouvez imaginer.

Sempé

Signifiant

Mot fétiche des psychanalystes depuis que Lacan l'a piqué à Ferdinand de Saussure. Ne renvoie pas à une signification mais permet, comme dans *l'Almanach Vermot*, de passer facilement d'un tuyau de poêle à une toile à matelas. Le signifiant ne s'observe jamais à l'état libre mais ne s'entend que comme maillon d'une chaîne. Exemple de chaîne signifiante, à partir de la collection de pièces anciennes d'un analyste : numismatique, tiques de chiens, chiens de traîneaux, no man's land, l'an deux mille, millésime, y'm fait ch...

Transfert et contre-transfert

Le transfert est un mouvement, le seul perceptible dans la psychanalyse, qui vous fait vous éprendre ou vous déprendre de l'analyste, quel que soit son âge ou son sexe, autrement dit, à le prendre pour un (A)autre. Comme nous vous l'avons déjà expliqué, ce mouvement s'accompagne d'un transfert de fonds (entre votre poche et celle de l'analyste) qui favorise le surinvestissement de l'opération, ce qui est tout bénéfice pour vous. Règle fondamentale : lorsque trans-frère et trans-sœur sont en bateau, c'est obligatoirement trans-sœur qui tombe à l'eau. (Cela n'a rien à voir ? C'est la preuve que vous n'avez encore rien compris à la liberté de la chaîne signifiante.)

Le contre-transfert, mouvement en sens inverse, doit être contrôlé par l'analyste et ne pas vous revenir à travers la figure comme un boomerang. Que vous lui rappeliez son papa, sa maman ou son cheval de bois, il ne doit vous prendre *que* pour ce que vous êtes. La maîtrise du contre-transfert est, avec le silence, la caratéristique qui estampille le psychanalyste.

Phallus

Le phallus n'est pas, comme un vain peuple le pense, un membre viril en érection mais un signifiant qui se dérobe toujours à la saisie. C'est pour cela que tout le monde veut se l'approprier, y compris ceux que la nature a pourvus d'un pénis, ce qui n'a rien à voir.

Castration

Selon le maître de Vienne, le complexe de castration n'est pas la peur banale de la suppression brutale et définitive des organes sexuels, mais la crainte panique de perdre ce que l'on n'a pas. Ce qui n'est quand même pas la même chose ! Toute la construction de la personnalité reposerait sur ce malentendu fondamental, ce qui amène à penser que le cerveau humain est foutrement sophistiqué ou que Freud avait un esprit tordu. Bien évidemment, ces sophistications se trament dans l'inconscient où tout peut arriver, y compris de retrouver le complexe que vous n'avez pas perdu.

Inconscient

C'est un lieu. Un lieu qui parle. Donc un lieu-dit. C'est là que se précipite le refoulé, qu'il s'y déplace, s'y condense, s'y fixe. En un mot, votre inconscient refoule pour vous.

sempé

Refoulement

C'est un travail, le seul qui s'effectue à votre insu, au mépris de tous les acquis sociaux. Ignorant à la fois les interdictions sur l'emploi des jeunes enfants, la semaine de trente-neuf heures, les congés payés, la retraite à soixante ans, et surtout l'échelle mobile des salaires, ce boulot — le plus prenant de votre existence d'hominidé supérieur — commence dès l'abandon du sein maternel et ne se termine qu'à la mort. Rassurez-vous, vous ne vous défoncez pas la carcasse en vain. Refouler est aussi vital pour votre survie mentale que respirer l'est pour votre maintien organique.

Si vous pensez sérieusement :

— que vous marchez à l'intérieur de vos baskets ;

— que vous avez épousé la femme (l'homme) de votre vie ;

— que l'Union soviétique finira bien par construire le communisme *via* le socialisme ;

— que votre patron possède une intelligence au-dessus de la moyenne et un cœur d'or ;

— qu'il est naturel d'aimer sa belle-mère,

alors, vous pouvez vous vanter d'avoir bien refoulé. Vous êtes proche du nirvâna. Ne tenez aucun compte de vos lapsus, actes manqués, et autres rêves. Surtout, évitez comme la peste la psychanalyse et ses dérivés. Cela risquerait de flanquer par terre le résultat de trente ans de labeur.

Acting-out

C'est quand on agit au lieu de causer, quand on « pose un acte » au lieu d'élaborer. Méfiez-vous. Pour le psychanalyste de stricte orthodoxie, l'acte a une définition extensive et présente d'autant plus d'importance qu'il est totalement anodin. Ne croyez pas vous en sortir en ne considérant que votre mariage express, votre divorce catastrophe ou votre démission sur l'heure. Il vous faudra aussi rendre compte des petits gestes quotidiens tels l'achat d'un lave-vaisselle, l'altercation avec un chauffeur de taxi, le retard dans le règlement de vos factures EDF, l'oubli du papier hygiénique chez Mammouth, etc. En dépit de l'étymologie de ce mot anglo-saxon, « agir en dehors », l'acting-out peut se produire dans le cabinet même de l'analyste ou sur sa propre personne. Il n'en offre pas vraiment plus d'intérêt pour le déroulement de l'analyse. Inutile donc de flanquer une claque à votre thérapeute ou de cracher sur ses tapis. Il risquerait de perdre la neutralité bienveillante nécessaire à l'interprétation de votre acte. Du temps perdu pour tout le monde.

Autoanalyse

Ne s'est produit que deux fois dans l'histoire : lorsque Freud s'est analysé tout seul, et pour cause. Puis, quatre-vingt-dix ans plus tard, lorsqu'un célèbre analyste parisien a allongé ses patients sur la banquette arrière de sa Citroën CX.

Psychanalyse sauvage

Se dit généralement de toute interprétation balancée par un laïc. De préférence en public. Surtout quand elle tombe juste. Se dit parfois des pratiques de psychanalystes tout terrain (ou ethnopsychanalystes) sévissant aux antipodes sur la personne de bons sauvages ébahis.

Alloérotisme

Terme parfois utilisé par opposition à auto-érotisme : activité sexuelle qui trouve sa satisfaction grâce à un objet extérieur (rare). A ne pas confondre avec Allô-Désir, Allô-Bisous, et autres petites annonces d'amour tarifé par téléphone.

Grâce à ce glossaire, vous en savez désormais suffisamment pour soutenir une conversation avec Jean-Edern Hallier, à la terrasse de *la Closerie des lilas*, ou encore avec votre dentiste entre l'extraction de deux dents de sagesse. Rien ne vous empêche de pimenter vos propos de quelques « identification au pénis », « moi étayé », « stade anal sublimé » et autre « compulsion de répétition ». Certes, vous ne savez pas ce que cela veut dire mais eux non plus.

Troisième partie

Trouver l'oiseau rare

Vous maîtrisez la théorie. C'est un début, mais tout n'est pas gagné pour autant. Le plus difficile reste à faire : la recherche d'un psychanalyste s'apparente plus au parcours du combattant qu'à une partie de plaisir. Dans cette course, les obstacles sont multiples. Tout d'abord, dénicher les noms d'analystes présumés. Les petites annonces, le Minitel, les listes d'analystes fournies par les Écoles, autant de sources, plus ou moins pures, pour les débusquer. Ces patronymes seront, par nature, épinglés à une adresse. Par conséquent, le quartier, l'immeuble, la salle d'attente constituent autant d'éléments déterminants pour votre choix définitif.

Mais, au-delà de ces contingences matérielles, vous allez être confronté à un être de chair et de sang. Votre futur(e) analyste. Pour vous aider à affiner votre choix nous fournissons, en toute première mondiale, une typologie des analystes qui vous permettra de cataloguer votre interlocuteur dans une des huit classes suivantes : le Dinosaure, la Sardine, le Noble Étranger, la Mémé Tricot, l'Intello, la Charmeuse, le Mondain, le(la) Débutant(e) et diverses variantes.

Autre obstacle à sauter avant de s'allonger : la barre des séances préliminaires. Celles-ci doivent vous permettre de reconnaître de façon infaillible sur quels bancs d'école l'analyste a usé ses fonds de culottes. Bardé de tous ces éléments de savoir, vous en aurez terminé avec ce jeu de l'oie. Vous serez enfin sur la case « Départ ». Dans l'analyse la case suivante se nomme souvent : « Vous retournez en prison. »

Des petites annonces

Faut-il s'engager dans l'aventure analytique via les petites annonces de *Libé*, du *Nouvel Obs* et autres gazettes ? Tous les chemins qui mènent à la cure ne font qu'exprimer les traits spécifiques de votre névrose. Aussi cette partie caractéristique de la presse peut-elle être votre mode d'entrée en analyse. N'ayez là aucun complexe. Méfiance cependant. Si vous avez le droit d'être complètement cintré, votre analyste se doit, lui, de l'être un peu moins. Le psychanalyste pur et dur ne passe pas par les rubriques « psy », « thérapies », etc. pour recruter ses ouailles. Si néanmoins vous répondez à ce genre d'avance, la première partie de cet ouvrage vous permettra de déceler, sous les messages les plus innocents, des pratiques qui ne le sont guère. De fait vous auriez, statistiquement parlant, beaucoup plus de chances de tomber sur un analyste en répondant aux « Chéri(e)s », « Particulier Femmes », « Particulier Hommes » et autres propositions.

Si vous tenez dur comme fer à l'idée d'en dégotter un(e) en épluchant les petites annonces, essayez plutôt *le Chasseur français*. Peu de chances, côté analystes, mais une « pigeot » d'occase première main peut être le premier achat sur le chemin du calvaire analytique. Surtout si vous habitez en grande banlieue ou en rase campagne.

Du Minitel

Là, on s'élève de plusieurs niveaux dans l'échelle du sérieux. Le petit écran télématique permet de cerner avec précision l'écosystème de *l'homo analystus*, hôte des villes et sûrement pas de nos campagnes, des mégalopoles plutôt que des trous perdus. Jugez-en vous-même. Deux cent quarante-neuf noms propres surgissent à Paris dans la rubrique « Psychanalystes », qui se répartissent ainsi :

Ier	7	VIIIe	5	XVe	17
IIe	3	IXe	18	XVIe	11
IIIe	13	Xe	10	XVIIe	10
IVe	3	XIe	15	XVIIIe	3
Ve	30	XIIe	13	XIXe	21
VIe	21	XIIIe	26	XXe	5
VIIe	14	XIVe	17	Banlieue	6

En province, le soufflé s'effondre. Dix-huit pratiquants s'identifient comme tels à Lille, douze à Grenoble, onze à Toulouse, dix à Marseille et Lyon, neuf à Bordeaux. Ailleurs, inutile de chercher.

Les enseignements que l'on retire de cette recherche câblée ne résident pas dans la seule localisation géographique de la gent analytique. On y relève une autre caractéristique : ce prestataire de service ne figure pas massivement dans le *yellow book*. Aurait-il quelque chose à cacher pour se réfugier dans la liste rouge ? Quelques centaines de praticiens seulement sont agréés par les PTT, alors qu'en première approximation on peut dire et écrire qu'ils sont plusieurs milliers en France à exercer ce métier à hauts risques dorso-lombaires.

Les Postes et Télécommunications ne précisent pas l'appartenance d'École. Les pages jaunes permettent de voir des ennemis farouches allongés en paix les uns près des autres. L'administration ne respectant rien, hormis la liste alphabétique, met à bas toute hiérarchie. Elle ne mentionne pas plus les titres, grades et médailles. Comme au paradis, les noms les plus célèbres y côtoient les plus obscurs. Plus rien ne vient faire la différence. Comment s'y retrouver ?

Des « listes »

Toutes les écoles analytiques publient officiellement une liste de leurs pratiquants patentés. Ceux qui y figurent se sont soumis à une série de pratiques initiatiques, à des rites multiples et variés qui les ont métamorphosés en psychanalystes. En les choisissant, vous pensez sans doute contracter une assurance tous risques. Un problème demeure : l'école elle-même est-elle sûre analytiquement parlant ? Inutile de préciser que la réponse varie d'une école à l'autre. Chacune vous affirmera détenir, seule et contre toutes, la vérité freudienne.

Ces analystes, quel que soit le moule dont ils sont issus, obéissent cependant à une hiérarchie simple. Ils se répartissent par sédimentation en trois tas.

> Le tas le plus petit (alias petit a) rassemble l'élite. Celle qui a prouvé par ses écrits, ses réflexions, ses élucubrations et ses génuflexions qu'elle est digne de succéder au grand Sigmund.

L'appartenance au petit tas confère des privilèges de clientèle qui mettent en principe à l'abri du besoin *ad vitam aeternam*. En effet, dans les écoles, seuls les membres du petit tas sont habilités à bricoler les futurs analystes.

Puis viennent deux tas à peu près égaux entre eux, mais dix à vingt fois plus élevés en nombre.

— Le premier est situé hiérarchiquement juste sous le petit tas. Il pourrait se comparer à la caste indienne des guerriers. Il est composé des psychanalystes qui prétendent grimper à l'étage supérieur à la faveur d'un heureux événement (la mort d'un ancien). Dans ce combat pour la montée en première ligne, l'étude des textes anciens, des in-folio rares, et la traduction de l'intégrale des cahiers de Freud griffonnés en grande section de maternelle sont les armes les plus fréquemment utilisées.

— Le second tas est composé de jeunots (la cinquantaine) qui viennent de terminer tous les rites initiatiques pour entrer dans la caste départ. On trouve dans ce groupe deux genres d'individus. D'une part, les jeunes loups, ceux qui n'ont d'yeux et d'oreilles que pour le petit tas, prêts à continuer deux bonnes décennies pour arriver en haut de l'affiche, et, d'autre part, les besogneux, épuisés par la dizaine d'années passées, depuis la fin de leur analyse personnelle, à étudier les textes sacrés, et qui ne rêvent que de repos à la tête d'un divan.

Cette fastidieuse énumération de tas de psychanalystes et des longues périodes qui permettent d'accéder aux différents étages a pour but de rendre compte d'un fait bien connu dans le milieu : l'analysant qui commet un passage à l'acte sexuel sur la personne d'un analyste d'École rentre toujours dans la catégorie des gérontophiles caractérisés.

Récemment, certaines écoles, conscientes du rejet par des psychanalystes un peu verts, de leurs statuts rongés aux mites, ont laissé se créer une nouvelle caste : celle des intouchables. Ceux-ci déclarent pratiquer l'analyse mais à leurs seuls risques et périls (sans parler de ceux de leurs analysants). Ce qui peut se traduire généralement par « je ne m'autorise que de moi-même ». Une analyse loupée, ça va. Trois...

Ne croyez pas qu'il soit facile de se procurer ces fameuses listes. Même les analystes estampillés « École » restent très discrets et les associations 1901 qui les regroupent ne vous refileront au mieux qu'un demi-feuillet. Ainsi, vous n'aurez, tout au plus, que trois ou quatre noms à vous mettre sous la dent.

Quant à la liste de l'ancienne École freudienne dissoute par Lacan, elle se vend maintenant au marché noir. Ce qui comble le fétichisme du plus grand nombre.

Du bouche à oreille

Si l'on additionne les psychanalystes PTT avec les analystes « École », on n'arrive toujours pas au bout du compte analytique. Il nous en manque encore un bon paquet.

C'est dans celui-ci que se retrouvent les analystes « bouche à oreille ». Ils sont la partie immergée de l'iceberg analytique. Le plus souvent « free-lance », ces analystes se prennent pour Freud lui-même et considèrent que le père ayant été le meilleur sans jamais fréquenter d'école, ils n'ont aucune raison, eux, d'y retourner.

Comme ils sont les plus nombreux, vous avez toutes les chances que le vôtre fasse partie de cette cohorte anonyme. D'où l'utilité, s'il fallait encore le démontrer, de cet ouvrage.

Du quartier

Interrogés à brûle-pourpoint, même les derniers des béotiens savent que seuls certains quartiers sont propices à la culture de l'analyste.

A Paris, il s'agit des Ve, VIe, VIIe arrondissements de Paris. La montagne Sainte-Geneviève, le carrefour Bac et les abords de l'École militaire offrent un terreau tout à fait fertile, puisque c'est là que l'on rencontre à la fois les praticiens les plus chenus mais aussi les plus verts. Jacques Lacan en fut peut-être le plus célèbre exemple. Les pionniers de la psychanalyse, dans cette terre de mission que représentait l'intelligentsia parisienne, ne pouvaient pas couper le cordon ombilical qui les reliait à Sigmund, lui-même logé symboliquement au hasard des maisons d'édition.

Le petit supplément d'âme qu'a pu représenter l'analyse pour la bonne bourgeoisie des années cinquante en a fait un *must* qui devait se trouver, comme tous les articles de bonne maison, à proximité des utilisateurs, entre

Passy, Auteuil et la Muette (comme leur fille).

Le prix du mètre carré plancher dans Paris et le rajeunissement du cadre des analystes (boom des années soixante) ont entraîné l'annexion du (bon) XIVᵉ, du (bon) XVᵉ et même du (mauvais) XIIIᵉ. Les post-soixante-huitards n'hésitant pas à investir les quartiers dits populaires au nom de la démocratisation de l'inconscient. Ces différents éléments doivent vous permettre d'opérer un premier tri entre les trois adresses rituelles que votre meilleur(e) ami(e) se sera procurées pour vous.

Nous ne pouvons détailler, ici, faute de place, la localisation des analystes, quartier par quartier, dans toutes les villes de France et de Navarre. Cependant, l'expérience montre qu'ils se regroupent selon certains grands axes :

— le monument aux morts ;
— la gare routière ;
— l'avenue du Général-de-Gaulle ;
— les lycées Carnot et Jules-Ferry ;
— et sur le boulevard où vous aurez repéré la plus forte concentration de plaques en cuivre, entre le pneumophtisiologue et l'huissier de justice.

En cas d'urgence, demandez à la pharmacie de garde ou sonnez à la sacristie.

Dites-vous bien cependant que, sauf à trouver votre analyste dans votre immeuble (ce qui n'est pas recommandé), ou au coin de la rue (ce qui est hautement improbable) *son* quartier va devenir le *vôtre*. Il va s'agir d'organiser une véritable double vie.

Comment vous y rendre ? Nous ne saurions trop vous recommander les transports collectifs (bus, métro, RER, TGV, Air Inter) laissant le soin — pendant ces moments d'angoisse qui précèdent la séance — à un fonctionnaire de vous amener jusqu'à bon port. Si, néanmoins, vous choisissiez de vous mettre, vous et les autres, en danger, en prenant le volant de votre voiture, sachez qu'en règle générale ne souffrant pas d'exception, il n'y a jamais de quoi se garer en bas de chez son analyste. Mais parfois une place à cinq cents mètres, que la contractuelle, de mèche avec lui, vous facturera immédiatement au même prix que la séance. Mais non, mais non, vous n'êtes pas paranoïaque.

Principe : pour être à l'heure il faut être en avance, vous ne savez jamais ce qui vous attend sur le trajet qui sépare la bouche de métro de l'entrée de l'immeuble. Une série d'échelles posées par une main pas si innocente que ça peut sérieusement vous retarder. Il faut donc repérer tout ce qui peut tromper le moins désagréablement possible votre attente. Bistrots, salons de thé, pâtisseries (important à l'entrée comme à la sortie pour la petite compensation affective que représente un gros gâteau au chocolat), librairies où l'on peut feuilleter, debout, *son* dernier article, le seul intéressant au milieu d'un tas d'inepties ne justifiant certes pas l'achat de la revue. Rien ne vous empêche de mettre à profit ces instants pour vous livrer à d'utiles occupations. Vos courses, par exemple. C'est pourquoi il convient de rester à proximité des rues commerçantes. Notre expérience de Parisien nous fait recommander les abords de la rue Daguerre (excellent boucher), de la rue Cler (poissonnier de première classe), de la rue de Lille (fromager hors pair), de la rue de Passy (célèbre glacier), de la rue du Cherche-Midi (boulanger de renommée mondiale). Ne perdez cependant pas de vue que le laps de temps entre votre arrivée à pied d'œuvre et l'exécution de la séance doit servir à vous mettre en règle avec votre surmoi. Assurez-vous d'une billetterie en état de marche sur le trajet. Le bistrot d'en bas servira à changer les gros billets en achetant des timbres. L'analyste, il faut le savoir, ne rend jamais la monnaie (de votre pièce).

De l'immeuble

L'important n'est pas qu'il soit en pierre de taille, mais qu'il possède certains avantages qui peuvent vous simplifier la vie. Un ascenseur a certes son utilité, mais peut aussi se révéler source de désagréments. Bien vérifier son fonctionnement. Si vous restez bloqué entre deux étages, c'est un acte manqué et, outre l'interprétation, le dépannage est à la charge de l'analysant.

L'état des tapis, la position des tringles de l'escalier et la durée précise de la minuterie fantaisiste, surtout au sortir de la séance dans les brumes de la dernière association libre, sont des détails non négligeables pour le maintien de votre intégrité physique. Cheville cassée égale, aussi et toujours, acte manqué, égale par conséquent règlement des séances pendant l'hospitalisation et la rééducation.

La pipelette ne présente aucun avantage mais concentre tous les inconvénients. En effet, à moins d'être très atteint, vous n'éprouverez pas le besoin de demander à chaque fois : « Mme Duchmoll quel étage s'iou plaît ? » Par contre, vous ne manquerez pas de vous faire engueuler si vous claquez (de rage) la porte cochère ou si vous omettez d'essuyer vos pompes, activité que vous réservez amoureusement pour le divan là-haut.

Mettez-vous bien dans la tête que l'immeuble n'est pas occupé par le seul objet de votre ressentiment mais également par des intrus, locataires ou copropriétaires. Ceux-ci, n'étant pas toujours au parfum de ce qui se passe au quatrième gauche, peuvent vous regarder d'un drôle d'air, en particulier si l'analyste est une dame qui reçoit de dix minutes en dix minutes ou de trois quarts d'heure en trois quarts d'heure. Soignez votre tenue, surtout en sortant de l'appartement, si vous ne voulez pas vous retrouver la fois suivante au commissariat, ce qui constituerait un acte super manqué.

Tradition viennoise et Belle Époque, la double issue de l'immeuble est de nos jours difficilement respectée. Dommage, elle évitait une rencontre intempestive avec son ex ou son actuel(le).

De l'accueil

Le premier contact est toujours téléphonique, l'analyste faisant partie des gens chez qui on ne débarque pas sans prévenir. En effet, il est toujours occupé. Soit il est en séance, soit il feint de l'être. Le plus simple, dans ce cas, serait d'avoir une secrétaire pour prendre les messages ou, à défaut, un répondeur-enregistreur. Or, le psy renâcle devant la secrétaire, et la remplace le plus souvent par son incompréhensible bonne portugaise ou par son irascible conjoint. Le répondeur, lui, est censé traumatiser l'analysant aux abois qui, tel le chien de la célèbre maison de disques, ne se calme qu'en entendant la voix de son maître.

Le praticien responsable répond donc lui-même avec sa voix analytique au timbre si caractéristique. Il s'agit de toutes les variations possibles — séraphiques, outre-tombales, chevrotantes, interrogatives, perverses, prometteuses de langueurs — sur le simple mot « oui ». Ce qui suffit à vous mettre dans l'ambiance.

Étape suivante, la porte du saint des saints. Dans le meilleur des cas, un être humain répond au coup de sonnette. Malheureusement pour votre angoisse initiale (après, on se fait à tout), l'huis s'ouvre le plus souvent automatiquement et vous n'avez plus qu'à suivre le parcours fléché jusqu'à l'espace réservé à l'attente fébrile.

De l'attente

Bien sûr, il n'est pas très agréable — ça fait *cheap* — d'attendre dans le salon-salle à manger face à la télé et aux reliefs du repas de midi.

Cependant, ne vous réjouissez pas trop à la vue d'une pièce spécialement prévue pour l'attente, même si c'est un signe de standing. Cela signifie que vous allez poireauter. Dans notre longue enquête, l'espace où vous patienterez s'est révélé situé dans les endroits les plus étonnants pour tout le monde, mais apparemment pas pour les analystes. Ne vous étonnez donc pas de vous trouver seul ou en rangs serrés dans :

— une ancienne cuisine déguisée,

— une salle de bains camouflée,

— un water-closet désaffecté,
— un placard à balais ripoliné,
— une salle de billard,
— un sombre corridor
— et sur un palier derrière un paravent.

En principe, les revues sont fournies par l'analyste mais attention, vous risquez de vous retrouver avec la collection complète de *Tel Quel*, des numéros de *l'Automobile Club médical* datant de dix ans, de *Point de Vue-Images du Monde* de la semaine. Si vous êtes allergique à Philippe Sollers, à la bagnole ou aux amours de la princesse de Kent, apportez votre lecture. Que vous serez assez aimable de laisser pour les suivants. Par contre, autorisez-vous à déchirer la recette du lapin chasseur. Foin des inhibitions!

Des sons et des odeurs

La neutralité des lieux ne va pas jusqu'à confondre le cabinet du praticien avec un caisson de privation sensorielle. Les sons et les odeurs font partie du cadre. Votre analyste n'est plus un être désincarné à partir du moment où vous reniflez les effluves du bœuf Marengo que lui concocte son mari, et où vous suivez les progressions de sa petite dernière s'escrimant sur la *Lettre à Élise*. Ces stimulations extéroceptives vous seront d'une aide non négligeable, et comme Proust avec la petite madeleine, vous remonterez du côté de vos Guermantes personnels à la recherche du temps perdu.

Point trop n'en faut cependant. Certaines odeurs, le chou-fleur, l'ail recuit et surtout le poireau évoquent directement le bol intestinal de votre thérapeute et risquent de vous faire régresser brutalement.

Dans la psychanalyse, plus que dans toute autre activité, il est essentiel de s'entendre. Encore faut-il pour cela que le son de votre voix parvienne à couvrir celui de la télé du voisin mise à fond la caisse, juste à l'heure de votre séance. C'est dire qu'il vous faudra repérer, au quart de tour, toutes les nuisances phoniques possibles dans un rayon de trois kilomètres. Tous les musiciens, surtout les débutants. La plupart des enfants, à tous les âges. Les couples qui n'en finissent pas de ne pas divorcer à coup de scènes de ménage.

Ne vous engagez surtout pas avant d'avoir vérifié auprès des autorités compétentes que l'immeuble de votre analyste n'est pas situé au milieu d'une zone de grands travaux d'utilité publique susceptibles de durer plus de quinze ans.

Des séances préliminaires

Véritable danse nuptiale du scorpion, les entretiens préliminaires ont pour fonction réciproque de jauger, d'évaluer les zones de force et les points faibles du partenaire avant de s'agripper mutuellement pour un destin que certains qualifient de funeste.

De manière moins dramatique et plus prosaïque, c'est le moment où l'on discute le bout de gras.

Autrefois, ces séances étaient essentiellement réservées à la mesure de votre aptitude à la psychanalyse et à la mise en relation du niveau de saisie de votre inconscient et de celui de votre compte en banque. C'est dire que, jusqu'à présent, ces préliminaires n'avaient d'intérêt que pour le psychanalyste.

Désormais, grâce à cet ouvrage, ces toutes premières séances entre quatre z'yeux permettront

à l'analysant de s'orienter en toute connaissance de cause dans son aliénation. Il pourra, entre autres, déterminer l'appartenance théorique de son alter ego, ce qui n'a pas grande importance mais il ne le sait pas encore.

Des écoles

Ne vous laissez pas impressionner par le foisonnement des raisons sociales : Société française de psychanalyse et son double, l'Institut de psychanalyse, Association française de psychanalyse, Quatrième Groupe, multiples éclats de la comète analytique née de l'explosion de l'École freudienne de Paris (École de la cause freudienne, Cartels constituants, CFRP, Association française de psychanalyse, Convention psychanalytique, CERF, etc.). Cette prolifération des sigles n'est qu'une des marques de la féroce guerre à laquelle se sont adonnés les grands théoriciens de ces institutions pour qu'Advienne le Savoir.

Les homériques batailles qui, de scissions en scissions, ont composé le paysage actuel de la psychanalyse rendent difficile le repérage des différents ingrédients qui entrent dans la composition du cocktail analytique. Inutile de chercher une trace de sincérité, d'exactitude, ou de raisonnement impartial dans ce nectar.

Toutes les chapelles possèdent les formules qui permettent de fondre avec entrain et courage leurs certitudes, leurs convictions, leurs croyances, leurs évidences dans le *melting pot* analytique.

Le tranchant du socle, ainsi constitué, permet en toutes saisons, de retourner la terre du savoir et de faire pousser la vérité révélée. Les combats fratricides ont laissé de profondes traces. Les analystes baignant dans le verbe comme Marat dans son bain, « les mots pour le dire » vont inévitablement être marqués des stigmates qui trahissent leur appartenance. Ils vous permettront de vous repérer dans cette jungle d'appellations non contrôlées.

En fait, tout se résume une fois de plus, dans l'éternelle opposition entre les classiques et les modernes.

Opposition, en France, entre les freudiens orthodoxes et les lacaniens ; dans les pays anglo-saxons entre les freudiens et les kleiniens. Ces derniers sévissent rarement dans l'Hexagone, mais il faut apprendre à les reconnaître pour les fuir s'ils ne correspondent pas à votre fouillis inconscient.

Du taste-analyste ou comment le reconnaître

Si la question de son appartenance vous tarabuste, interrogez-le. Il ne répond pas, bon signe ! C'est bien un analyste. Néanmoins, vous restez sur votre faim et vous allez tenter d'en savoir plus.

Première certitude, la séance de cinq minutes. Vous êtes là dans la nouvelle analyse, si rapide grâce à sa cocotte minute à couvercle herméneutique.

Autre quasi-certitude, la séance de quarante-cinq minutes chrono. Cette espèce fossile, affiliée à l'IPA (International Psychoanalytical Association) vous mijote votre inconscient à cuisson lente, dans une cocotte en fonte, quatre fois par semaine, avec vingt-quatre heures de marinade entre chaque séance.

En dehors de ces certitudes, vous risquez, tels

les lépreux du haut Moyen Âge, d'errer de lieux en lieux, de divan en divan avant de trouver le havre, mais dans quel état ? Pour éviter ce déplorable sort, décryptez, vite fait, l'ascendant de votre analyste. Désensablez vos portugaises. Décollez vos paupières agglutinées par la purulence œdipienne et observez le Faisant Fonction d'Analyste Supposé Savoir qui trône en face de vous. Tout peut prendre sens : ses mots, bien sûr, mais également son écosystème. Voici quelques indices pour ce jeu de pistes, quelques signes qui ne trompent pas.

CELUI OU CELLE QUE VOUS RISQUEZ D'ÉLIRE...

— vous prend à l'heure,
— fume la pipe ou le cigare,
— est photographié près d'Anna Freud,
— laisse traîner dans sa salle d'attente d'anciens numéros du *Monde de la musique*, des exemplaires de *l'Œil*, du *Figaro Madame*,
— possède des gravures du XIXe à dévoilement érotique,
— traduit ce que vous dites en terme de

culpabilité, d'inhibition, de symptômes, d'angoisse, et de bâton fécal,

— a avalé un métronome et ne vous lâche pas tant que la sonnerie de sa montre n'a pas retenti,

— vous arrache des mains *Suicide mode d'emploi* et aide le Samu pour votre lavage gastrique,

— vous veut du bien,

— fixe, par contrat, la durée nécessaire à votre Moi pour visiter votre Ça, après avoir écarté votre salaud de Surmoi,

...PAS DE DOUTE, C'EST UN ORTHODOXE.

SI L'ANALYSTE DE VOTRE CŒUR...

— appelle son chat Métaphore,

— fume la pipe ou le cigare,

— possède l'œuvre complète de Bataille reliée pleine peau, la phénoménologie de Heidegger, une BD type Painbreton, *l'Almanach Vermot*,

— expose une bande de Mœbius dessinée par Escher,

— traduit ce que vous dites en termes de grand Autre, de symbolique, d'imaginaire, et d'objet a,

— fixe la durée des séances en fonction de l'impatience de la meute aux abois dans la salle d'attente,

— ne bronche pas quand vous lui montrez la corde de votre future pendaison achetée avec l'argent de la séance,

— s'intéresse à votre désir,

— ne pose pas de fin à la cure car, telle Pénélope, vos rêves défont toutes les nuits le nouage de vos impératives catégories : S.I.R.[1],

...C'EST UN LACANIEN, ÇA, C'EST SÛR.

SI VOTRE FUTUR GOUROU...

— vous serine, pour tout mot singulier que vous employez, la ritournelle sein, tétoune, mamelon, Robert 1 ou Robert 2, pis, auxquels

1. Symbolique, Imaginaire, Réel.

adhère de façon permanente l'adjectif bon ou mauvais,

— possède une gravure de Nikki de Saint-Phalle, première époque,

— interprète systématiquement vos rêves comme des attaques contre le pénis du père attablé à une table scatologique dans le ventre de la mère,

...N'ALLEZ PAS PLUS LOIN,
VOUS ÊTES TOMBÉ SUR UN KLEINIEN.

La complexité de toutes ces observations et leur mise en relation vous effraient ou vous fatiguent sûrement d'avance. C'est pourquoi nous avons mis au point à votre intention une typologie facile à mémoriser. Vous y retrouverez fatalement votre interlocuteur. A vous de jouer !

D'une typologie pour un analyste

Le psychanalyste officie généralement là où il dort, mange et se repose. Comme il n'existe pas encore d'uniforme stylé par tel grand du prêt-à-p', il se dévoile dans ses choix vestimentaires comme dans son mobilier. Si vous brûlez d'en savoir plus sur lui, ouvrez vos mirettes et observez son look et son décor, aussi révélateurs de son inconscient que vos rêves et vos lapsus le sont du vôtre.

Pour simplifier, disons qu'il existe huit types d'analyste.

Le Dinosaure

Il a été analysé par Freud ou, à la rigueur, par Marie Bonaparte. Non, l'espèce n'est pas fatalement en voie de disparition, le relais ayant été assuré par Lowenstein, Nacht et Lagache.

Le Dinosaure sommeille en général boulevard Saint-Germain ou dans l'île Saint-Louis, aux

Invalides, voire au musée Grévin. Dans son vaste appartement, il ne dépare pas les antiquités gréco-assyriennes et égypto-sumériennes à travers lesquelles on doit slalomer pour atteindre la méridienne, modèle Vienne 1896, recouverte de kazaks tissés main sur les hauts plateaux d'Anatolie.

Malgré la chaleur de serre (le chauffage est sous le divan comme dans les wagons de chemin de fer), ses genoux sont recouverts d'un plaid en alpaga qui dissimule peut-être le fauteuil roulant. En effet, personne ne l'a vu en position verticale depuis 1968.

Il vous fait penser irrésistiblement à un diplodocus, animal végétarien aux réactions lentes, mais il s'agit peut-être d'un *Tyranosaurus rex*, terreur carnivore du crétacé supérieur.

Ses honoraires, eux, relèvent de la science fiction et non de la rente viagère. A moins d'une catastrophe, vous êtes sûr qu'il partira le premier.

Variante en voie de fossilisation, un groupe bien connu dans la communauté psychanalytique internationale. Ils ont en commun la taille (inférieure au mètre cinquante), la calvitie subtotale, la légion d'honneur, et le titre de Pr. Ab. (professeur abrégé) que leur confère la brièveté de leur analyse didactique, trois semaines à tout casser, juste avant la débâcle de 1940. Comme ils ne souhaitaient pas être dominés par leurs analysants, ils ont créé une spécialité, la psychanalyse d'enfants. En vieillissant, par un phénomène d'identification bien connu, ils ont mis au point la psychanalyse du nourrisson.

La Sardine

C'est le plus souvent une femme, bien qu'elle donne l'impression d'être entre deux sexes comme entre deux âges. Elle vit confinée dans son bureau et disparaît totalement dans son fauteuil Voltaire derrière le divan tendu de toile imprimée, parce que ça ne se salit pas.

Elle peut se dresser soudain comme un serpent à sonnette lorsqu'un signifiant particulièrement tordu vient lui titiller l'ouïe qu'elle a redoutablement fine. Avec elle, on ne rigole pas, elle vérifie vos billets aux rayons X et vous fait la gueule alors que vous réglez scrupuleusement une séance que vous avez ratée à cause de la grève nationale des Chemins de fer.

Elle illustre dans ses apparences ce qu'elle croit être la neutralité analytique. Tout est beige et marron avec une touche de bleu marine. Il n'est pas exclu que vous la rencontriez, sanglée dans son uniforme d'officière, la veille de Noël, en train de quêter avec l'Armée du salut.

Elle risque de rancir dans son huile en vous laissant mariner dans votre névrose.

Le Noble Étranger

Le Noble Étranger est une tradition dans la vie parisienne au même titre que le french cancan : « Zé souis zétranzé, zé de l'or/Et zé viens dé Rio de Janeiro/Plous riche auzourd'hui qué naguère/Paris zé té rétrouve encore... »

Les grands prédécesseurs se recrutaient plutôt dans le Mittel Europa sous hégémonie viennoise : Hongrois, Roumains, Slovaques. C'était le style samovar, sachertorte et cuir de Russie. Bien que, pour des raisons politico-tactiques, le siège de l'IPA soit à Chicago, le vent freudien ne souffle pas de l'Atlantique sur les rives de la Seine. Un analyste formé à Manhattan (*or in the Bronx*) n'a pas beaucoup plus de prestige qu'un praticien de Riom ou d'Hénin-Liétard. Seule une poignée de Québecois venus toffer c'te bord chez les maûdits Français ont quelque audience.

La nationalité du Noble Étranger suit les vicissitudes de la géopolitique. Nul analyste n'est jamais venu de Finlande ou du Froid en général. En revanche, l'Égypte, le Maroc, la Grèce, le Brésil fournissent des contingents serrés d'analystes polymorphes (et non pas polyglottes comme les pervers...).

Actuellement, l'analyste métèque se porte argentin. L'obstacle de la langue n'en est pas un. Il est supposé savoir vous comprendre et, par définition, il n'a rien à vous dire.

La Mémé Tricot

Elle est toujours là. Confortablement installée avec un petit tabouret sous les pieds. Ce qui n'est pas votre cas, car son matelas n'a pas été cardé depuis des lustres et on sent les ressorts. Dès l'entrée une subtile odeur de soupe et de sinapismes Rigollot vous met dans l'ambiance.

Vous vous demandez à quoi servent le cheval de bois sans queue, la poupée décapitée et la pâte à modeler dans laquelle vous dérapez. En effet, il y a souvent un gamin qui traîne dans le secteur. Analysant en culotte courte ou en socquettes ? Petit-fils ? Neveu de la concierge ? A moins qu'elle ne cumule ses fonctions avec celles de nourrice agréée.

Le tricot peut être remplacé par un canevas, mais elle est toujours occupée. D'ailleurs, elle grignote sans arrêt. Les cachous Lajaunie ça passe, mais les chips ça agace. Avec son petit chignon et son sourire Blédina, elle favorise la régression. Ne pas trop s'y fier. Elle n'est pas aussi bonne pâte qu'elle en a l'air. Qui aime bien châtie bien. Non seulement elle empile sadiquement votre argent dans une boîte de biscuits anglais, mais elle est capable de vous augmenter brutalement sous prétexte que les prix du Ronron viennent d'être libérés.

Pour la Mémé Tricot, l'analyse est terminée si vous êtes enceinte ou si vous avez commencé votre couvade.

L'Intello

Il n'a jamais quitté le quartier Latin depuis son baccalauréat. Il est toujours entre une thèse, un mémoire, la publication qui va faire autorité et dans laquelle votre cas sera relaté avec moult détails, aïe ! aïe ! aïe ! Quand vous sonnez, vous l'arrachez à ses chères études. D'ailleurs, une fois sur quatre, il ne vous entend pas ou vous oublie dans la salle d'attente, en compagnie de tirés à part de ses œuvres précédentes et de ses chaussettes qui sèchent sur le radiateur.

Avec son crâne dégarni, ses cheveux frisés dans le cou, son simili-rachitisme et ses petites lunettes, les femmes le trouvent impressionnant et les hommes irrésistible. Il est porté par son costume de velours acheté à la Samaritaine. Son gilet Jacquard, style années cinquante, a été tricoté par une de ses patientes éperdue de reconnaissance. Il froisse dans sa poche les billets qu'il vous a arrachés d'un air dégoûté.

Il existe une variante répandue de l'Intello, c'est le Bigot. Nous ne parlons pas de la bigoterie freudienne, à laquelle succombent tous les analystes, mais de la religion de ses ancêtres avec laquelle le Bigot s'est réconcilié à grands coups de divan. A moins qu'il n'ait été, au départ comme à l'arrivée, jésuite, pasteur, ou bonne sœur. Vous ne vous étonnerez donc pas de la présence d'un crucifix sculpté par un enfant autiste, d'un chandelier à sept branches dégoulinant de stéarine, ou de l'orientation du divan dirigé vers La Mecque.

Par contre, vous ne rencontrerez pas de statuettes vaudou criblées d'épingles. Le Bigot est foncièrement monothéiste.

On trouvera en bonne place, à côté des *musts* de l'Intello — la *Gesammelte Werke* en 18 volumes et *The Complete Psychological Works* de Sigmund Freud (24 tomes dans la Standard Edition) —, *l'Ancien Testament*, les *Évangiles*, et le *Coran*. Encore plus en évidence, les *Essais* du Bigot qui prouvent que c'est définitivement Dieu qui a créé la psychanalyse et le psychanalyste à son Image. Exemples que vous pourrez vous procurer dans toutes les bibliothèques de gare : *le Coran au péril de la psychanalyse* par Sidi Brahim, *Psychanalyste ou Évangéliste* par l'abbé Marc Pâmoison, *l'Absence du grand Autre dans le Talmud* par Nathan Moshé Bo.

La Charmeuse

Tout est bon chez elle, y a rien à jeter, sur l'île déserte...

Savamment ébouriffée ou stylée avenue Montaigne, tout est dans la tignasse. Revêtue de petites choses fluides ou de modèles « basiques » (en ce moment elle raffole des japonais), la Charmeuse se pare de bijoux ethniques dont une bague turkmène, grosse comme un œuf de pigeon. Elle a souvent des bas (?) à coutures et des talons aiguille (fantasmes... fantasmes...). Elle crispe l'analysante abonnée au *Jardin des Modes* qui convertit immédiatement en nombre de séances ses superpositions de lin froissé, de cachemire et de soie.

Sur les ampoules électriques, elle fait brûler du musc et de l'encens qui, mélangés à ses émanations personnelles de Guerlain, donnent un peu mal au cœur.

Elle vous laisse poser votre écot sur un guéridon Gallé. Il règne dans son bureau un délicieux fouillis — barbotines, dentelles encadrées, luminaires Tiffany — qui met en scène son Moi, un brin narcissique, un tantinet hystérique.

Elle interrompt vos séances par de mystérieuses conversations téléphoniques d'une voix phonogénique style Roissy, ce qui vous frustre comme une bête. La Charmeuse paraît célibataire, en tous les cas sans enfant. Mais, à la quarantaine bien sonnée, elle vous en fait un dans le dos et vous la retrouvez un jour en robe de grossesse. Choc. Mais pour l'analyse, quel coup d'accélérateur !

Elle ne se contente pas de jouer à la star avec son porte-cigarettes en écume, mais connaît son

Lacan sur le bout de ses doigts manucurés. Cela lui permet de vous balancer en pleine poire une interprétation massue au moment où la situation pourrait devenir scabreuse. N'oubliez pas que son modèle définitif est cette emmerdeuse de Lou Andréa Salomé.

Le Mondain

Il reçoit, de préférence, place des Vosges, dans le Marais ou au Champ-de-Mars, dans un appartement aux lambris retouchés par un décorateur inspiré. Un domestique mâle vous ouvre la porte et vous précède dans un itinéraire labyrinthique uniquement destiné à vous faire admirer la collection de tableaux.

Il affectionne le costume trois pièces avec, volontiers, le petit détail qui fait toute la différence : nœud-pap' en vinyl, bretelles à fleurs, ou gilet en tapisserie. Quand son embonpoint trahit la fréquentation assidue de restaurants toqués, il peut avoir l'air d'un clown.

Sa courtoisie génétique l'amène à vous octroyer quelques mots badins sur le chemin du retour. Cela peut aller, les jours fastes, jusqu'à baiser la main, des dames mariées exclusivement.

Son élégance de sentiments ne va pas jusqu'à accepter les chèques, même certifiés par la Banque de France. Tel un prestidigitateur, il fait disparaître vos précieuses coupures dans un tiroir de son bureau Régence, sur lequel trônent une cave à cigares en loupe d'orme et un chat siamois.

Il se fait servir son Earl Grey à 16 heures et se garde bien d'en offrir. On se doute qu'il chasse en Sologne, qu'il skie en Suisse et qu'il se détend aux Maldives. On se refile avec une onction extrême le nom de ses analysants les plus célèbres.

Il existe une variante au Mondain, le Médiatique. Il ne s'épanouit, ne devient disert qu'à la lumière des sunlights et passe plus de temps rue Cognacq-Jay que dans son fauteuil.

Variante de la variante, l'Hôtesse de l'air, version femelle du Médiatique, qui cavale de journées en congrès, de colloques en conventions, de séminaires en interventions, de confrontations en cercles d'études, de supervisions outre-mer en assemblées professionnelles, de conférences en réunions savantes, de séances de travail en synodes, etc.

Dans ces conditions, le temps qu'elle peut vous consacrer transforme le travail analytique en traitement homéopathique. L'essentiel c'est d'y croire, et si ça fait pas de bien, en tout cas, ça fait pas de mal.

A côté des espèces pures, les lois de Mendel permettent de décrire les variétés hybrides suivantes :

— Sardine-Intello,
— Dinosaure-Étranger,
— Intello-Mondain,
— Bigote-Charmeuse,
— Mémé-Mondaine,

etc.

Enfin, une espèce un peu à part, mais très répandue :

Le (la) Débutant (e)

Comme les caméléons, le Débutant change la couleur de sa robe selon le milieu analytique sur lequel il se pose. Ce peut être un Noble Étranger avec des tendances Sardine ou Charmeuse (oui, il existe de Nobles Étrangères). Toujours Intello, sa bigoterie est le plus souvent judaïque ou marxiste (ça lui passe vite).

A vous de deviner, grâce aux indices qu'il peut laisser filtrer, s'il deviendra un Mondain, une Mémé Tricot, ou, pourquoi pas, un Dinosaure. Il n'a pas tout à fait trouvé son look définitif et son décor dépend de ses ressources, modestes, car une chose est sûre, il est généralement bon marché. De plus, il continue d'engraisser son analyste. D'ailleurs, il peut un jour vous laisser en plan pour courir à sa propre séance. Ne vous étonnez pas du décalage — quinze jours, trois semaines — entre vos lapsus et ses interprétations. Il doit consulter sa pythie, pardon, son contrôleur ou son superviseur avant de délivrer l'oracle.

Sa pratique est en béton brut de décoffrage. Il ne s'autorise aucune fantaisie pendant les séances (bonbons, esquimaux, chocolats). Ne comptez pas sur lui pour piquer un petit roupillon. Il ira chercher la petite bête derrière le signifiant le plus tarte. Comme il doit amortir ses frais d'installation, il ne prend jamais de vacances et vous non plus. C'est de la psychanalyse à la Stakhanov.

De l'émigration

Vous venez, après bien des difficultés, de choisir en toute simplicité un analyste en fonction de son type et de votre domicile. Mais avez-vous songé un seul instant à ce qui se passerait si vous deviez déménager hors de nos frontières?

Vous ne pourriez poursuivre votre cure ni en Iran, ni en Chine populaire, ni dans aucune des Républiques socialistes soviétiques, et ce, faute de praticiens.

Au Chili, ou à Cuba, sachez qu'ils risquent d'être en taule ou préposés à la canne à sucre.

En Inde, l'espèce se réduit à un seul spécimen qu'il vous sera peut-être difficile de repérer dans la masse. Rabattez-vous plutôt sur l'ashram du quartier.

De même, en Afrique noire, ne vous cassez pas la tête, vous trouverez un marabout au coin de chaque case.

Au Japon, il y a bien quelques prototypes mais, comme Lacan prétend que le Japonais n'a pas d'inconscient, méfiance. De plus, vous pourriez rencontrer un petit obstacle sur le chemin de la langue et de l'écriture. A votre avis, l'idéogramme du Phallus, quelle gueule ça a ?

Aux USA, ça pullule. Mais la pratique freudienne orthodoxe y est rare, le lacanien pour ainsi dire inexistant. Si vous arrivez à en dénicher un dans le Middle West, on vous rembourse la cure.

Les lacaniens et les kleiniens s'entre-tuent pour le monopole de l'Amérique du Sud. Les dictatures militaires successives n'ont pas fait, elles, la différence pour les éliminer ou les chasser. Choisissez donc les brèves périodes de démocratie qui voient les analystes revenir à tire d'ailes.

Bref, si vous devez quitter l'Hexagone, c'est encore dans la vieille Europe que vous aurez le plus de chances de trouver un successeur à votre analyste d'origine. N'oubliez donc pas d'emporter ce guide dans vos malles.

Une fiche signalétique

Afin de regrouper le faisceau d'informations nécessaires à votre choix définitif, nous vous conseillons de remplir, pour chaque analyste rencontré durant vos entretiens préliminaires, une fiche sur le modèle suivant :

Nom : DUPNEU
Prénom : Raymond
Sexe : mâle
Religion : catholique romaine
Type : Sardine
Âge : troisième
École : tendance orthodoxe
Adresse : 2, impasse de la Libido
Téléphone : 47 07 99 99
Métro : Convention
Autobus : 13 - Grande Ceinture
Parking : payant à 200 m
Rue : animée et bruyante
Proximité : commerces (excellent fromager)
Immeuble : haussmannien. Ascenseur hydraulique. Issue de secours
Accueil : classique, un peu guindé, assuré par madame
Attente : raisonnable, selon affluence
Décor : éclectique. Style défense passive. Copies XVIIIe et quelques meubles contemporains haut de gamme
Divan : Épéda multispires recouvert de reps vert
Tarifs : salés et non justifiés
Fréquence : cinq fois par semaine

En guise de conclusion

Vous venez de terminer cet ouvrage. Les démarches que vous allez entreprendre vous conduiront, dans un délai plus ou moins raisonnable, à éclairer l'obscur objet de votre désir. Si, toutefois, la lumière venait à vous manquer, n'hésitez pas à recharger vos accus à la lecture et à la re-lecture de notre vade-mecum. Il comporte, en toute simplicité, comme la Bible, différents niveaux de compréhension et demeure valable pour toutes les tranches que vous aurez à découper dans le gâteau freudien. Bon appétit !

LACAN
XIe Congrès de Psychanaly
FREUD
JUNG
PSYCHANALYSE FR
PSYCHOTHE
PSYCHANA

Table

Illustrations de Sempé extraites de :

Des hauts et des bas, Denoël : p. 14-15, 22-23. *Bonjour, bonsoir*, Denoël : p. 51, 64, 77. *Rien n'est simple*, Denoël : p. 46-47, 58-60. A. de Mijolla, *les Mots de Freud*, Hachette : p. 69, 73, 105. *De bon matin*, Denoël : p. 103.

COMPOSÉ PAR CHARENTE-PHOTOGRAVURE
ET TIRÉ PAR BRODARD ET TAUPIN
DÉPÔT LÉGAL : JANVIER 1987. N° 9449 (1011-5).

Collection Points

SÉRIE POINT-VIRGULE

V1. Manuel de savoir-vivre à l'usage des rustres et des malpolis
par Pierre Desproges
V2. Petit Fictionnaire illustré
par Alain Finkielkraut
V3. Quand j'avais cinq ans, je m'ai tué
par Howard Buten
V4. Lettres à sa fille (1877-1902)
par Calamity Jane
V5. Café Panique, *par Roland Topor*
V6. Le Jardin de ciment, *par Ian McEwan*
V7. L'Age-déraison, *par Daniel Rondeau*
V8. Juliette a-t-elle un grand Cui ?
par Hélène Ray
V9. T'es pas mort !, *par Antonio Skarmeta*
V10. Petite Fille rouge avec un couteau
par Myrielle Marc
V11. Manuel à l'usage des enfants qui ont des parents difficiles
par Jeanne Van den Brouck
V12. Le A nouveau est arrivé
par Pierre Ziegelmeyer et Jean-Benoît Thirion
V13. Comment faire l'enfant (17 leçons pour ne pas grandir)
par Delia Ephron
V14. Zig-Zag, *par Alain Cahen*
V15. Plumards, de cheval
par Groucho Marx
V16. Bleu, je veux, *par Gisèle Bienne*
V17. Moi et les Autres, *par Albert Jacquard*
V18. Au vrai chic anatomique, *par Frédéric Pagès*
V19. Le Petit Pater illustré, *par Jacques Pater*
V20. Cherche souris pour garder chat, *par Hélène Ray*
V21. Un enfant dans la guerre, *par Saïd Ferdi*
V22. La Danse du coucou, *par Aidan Chambers*
V23. Mémoires d'un amant lamentable
par Groucho Marx
V24. Le Cœur sous le rouleau compresseur
par Howard Buten
V25. Le Cinéma américain des années cinquante
par Olivier-René Veillon
V26. Voilà un baiser, *par Anne Perry-Bouquet*
V27. Le Cycliste de San Cristobal, *par Antonio Skarmeta*

V28. Tchao l'enfance, craignos l'amour, *par Delia Ephron*
V29. Mémoires capitales, *par Groucho Marx*
V30. Dieu, Shakespeare et Moi, *par Woody Allen*
V31. Dictionnaire superflu à l'usage de l'élite et des biens nantis *par Pierre Desproges*
V32. Je t'aime, je te tue, *par Morgan Sportès*
V33. Rock-Vinyl (Pour une discothèque de rock) *par Jean-Marie Leduc*
V34. Le Manuel du parfait petit masochiste *par Dan Greenburg*
V35. L'Oiseau Canadèche, *par Jim Dodge*
V36. Des sous et des hommes, *par Jean-Marie Albertini*
V37. De l'univers à nous, *par Robert Clarke*
V38. Pour en finir une bonne fois pour toutes avec la culture *par Woody Allen*
V39. Le Gone du Chaâba, *par Azouz Begag*
V40. Le Cinéma américain des années trente *par Olivier-René Veillon*
V41. Mistral gagnant, chansons et dessins, *par Renaud*
V42. Les Aventures d'Adrian Mole, 15 ans, *par Sue Townsend*
V43. Le Palais des claques, *par Pascal Bruckner*
V44. La Cuisine cannibale, *par Roland Topor*
V45. Le Livre d'étoile, *par Gil Ben Aych*
V46. Les Dingues du nonsense, *par Robert Benayoun*
V47. Le Grand Cerf-Volant, *par Gilles Vigneault*
V48. Comment choisir son psychanalyste, *par Oreste Saint-Drôme*
V49. Slapstick, *par Buster Keaton*

Collection Points

SÉRIE ROMAN

R1. Le Tambour, *par Günter Grass*
R2. Le Dernier des Justes, *par André Schwarz-Bart*
R3. Le Guépard, *par Giuseppe Tomasi di Lampedusa*
R4. La Côte sauvage, *par Jean-René Huguenin*
R5. Acid Test, *par Tom Wolfe*
R6. Je vivrai l'amour des autres, *par Jean Cayrol*
R7. Les Cahiers de Malte Laurids Brigge *par Rainer Maria Rilke*
R8. Moha le fou, Moha le sage, *par Tahar Ben Jelloun*
R9. L'Horloger du Cherche-Midi, *par Luc Estang*
R10. Le Baron perché, *par Italo Calvino*
R11. Les Bienheureux de La Désolation, *par Hervé Bazin*
R12. Salut Galarneau !, *par Jacques Godbout*
R13. Cela s'appelle l'aurore, *par Emmanuel Roblès*
R14. Les Désarrois de l'élève Törless, *par Robert Musil*
R15. Pluie et Vent sur Télumée Miracle *par Simone Schwarz-Bart*
R16. La Traque, *par Herbert Lieberman*
R17. L'Imprécateur, *par René-Victor Pilhes*
R18. Cent Ans de solitude, *par Gabriel Garcia Marquez*
R19. Moi d'abord, *par Katherine Pancol*
R20. Un jour, *par Maurice Genevoix*
R21. Un pas d'homme, *par Marie Susini*
R22. La Grimace, *par Heinrich Böll*
R23. L'Age du tendre, *par Marie Chaix*
R24. Une tempête, *par Aimé Césaire*
R25. Moustiques, *par William Faulkner*
R26. La Fantaisie du voyageur, *par François-Régis Bastide*
R27. Le Turbot, *par Günter Grass*
R28. Le Parc, *par Philippe Sollers*
R29. Ti Jean L'horizon, *par Simone Schwarz-Bart*
R30. Affaires étrangères, *par Jean-Marc Roberts*
R31. Nedjma, *par Kateb Yacine*
R32. Le Vertige, *par Evguénia Guinzbourg*
R33. La Motte rouge, *par Maurice Genevoix*
R34. Les Buddenbrook, *par Thomas Mann*
R35. Grand Reportage, *par Michèle Manceaux*
R36. Isaac le mystérieux (Le ver et le solitaire) *par Jerome Charyn*
R37. Le Passage, *par Jean Reverzy*

R38. Chesapeake, *par James A. Michener*
R39. Le Testament d'un poète juif assassiné, *par Elie Wiesel*
R40. Candido, *par Leonardo Sciascia*
R41. Le Voyage à Paimpol, *par Dorothée Letessier*
R42. L'Honneur perdu de Katharina Blum, *par Heinrich Böll*
R43. Le Pays sous l'écorce, *par Jacques Lacarrière*
R44. Le Monde selon Garp, *par John Irving*
R45. Les Trois Jours du cavalier, *par Nicole Ciravégna*
R46. Nécropolis, *par Herbert Lieberman*
R47. Fort Saganne, *par Louis Gardel*
R48. La Ligne 12, *par Raymond Jean*
R49. Les Années de chien, *par Günter Grass*
R50. La Réclusion solitaire, *par Tahar Ben Jelloun*
R51. Senilità, *par Italo Svevo*
R52. Trente Mille Jours, *par Maurice Genevoix*
R53. Cabinet Portrait, *par Jean-Luc Benoziglio*
R54. Saison violente, *par Emmanuel Roblès*
R55. Une comédie française, *par Erik Orsenna*
R56. Le Pain nu, *par Mohamed Choukri*
R57. Sarah et le Lieutenant français, *par John Fowles*
R58. Le Dernier Viking, *par Patrick Grainville*
R59. La Mort de la phalène, *par Virginia Woolf*
R60. L'Homme sans qualités, tome 1, *par Robert Musil*
R61. L'Homme sans qualités, tome 2, *par Robert Musil*
R62. L'Enfant de la mer de Chine, *par Didier Decoin*
R63. Le Professeur et la Sirène
par Giuseppe Tomasi di Lampedusa
R64. Le Grand Hiver, *par Ismaïl Kadaré*
R65. Le Cœur du voyage, *par Pierre Moustiers*
R66. Le Tunnel, *par Ernesto Sabato*
R67. Kamouraska, *par Anne Hébert*
R68. Machenka, *par Vladimir Nabokov*
R69. Le Fils du pauvre, *par Mouloud Feraoun*
R70. Cités à la dérive, *par Stratis Tsirkas*
R71. Place des Angoisses, *par Jean Reverzy*
R72. Le Dernier Chasseur, *par Charles Fox*
R73. Pourquoi pas Venise, *par Michèle Manceaux*
R74. Portrait de groupe avec dame, *par Heinrich Böll*
R75. Lunes de fiel, *par Pascal Bruckner*
R76. Le Canard de bois (Les Fils de la Liberté, I)
par Louis Caron
R77. Jubilee, *par Margaret Walker*
R78. Le Médecin de Cordoue, *par Herbert Le Porrier*
R79. Givre et Sang, *par John Cowper Powys*
R80. La Barbare, *par Katherine Pancol*

R81. Si par une nuit d'hiver un voyageur, *par Italo Calvino*
R82. Gerardo Laïn, *par Michel del Castillo*
R83. Un amour infini, *par Scott Spencer*
R84. Une enquête au pays, *par Driss Chraïbi*
R85. Le Diable sans porte (*tome 1 :* Ah, mes aïeux !) *par Claude Duneton*
R86. La Prière de l'absent, *par Tahar Ben Jalloun*
R87. Venise en hiver, *par Emmanuel Roblès*
R88. La Nuit du Décret, *par Michel del Castillo*
R89. Alejandra, *par Ernesto Sabato*
R90. Plein Soleil, *par Marie Susini*
R91. Les Enfants de fortune, *par Jean-Marc Roberts*
R92. Protection encombrante, *par Heinrich Böll*
R93. Lettre d'excuse, *par Raphaële Billetdoux*
R94. Le Voyage indiscret, *par Katherine Mansfield*
R95. La Noire, *par Jean Cayrol*
R96. L'Obsédé (L'Amateur), *par John Fowles*
R97. Siloé, *par Paul Gadenne*
R98. Portrait de l'artiste en jeune chien, *par Dylan Thomas*
R99. L'Autre, *par Julien Green*
R100. Histoires pragoises, *par Rainer Maria Rilke*
R101. Bélibaste, *par Henri Gougaud*
R102. Le Ciel de la Kolyma (Le Vertige, II) *par Evguénia Guinzbourg*
R103. La Mulâtresse Solitude, *par Simone Schwarz-Bart*
R104. L'Homme du Nil, *par Stratis Tsirkas*
R105. La Rhubarbe, *par René-Victor Pilhes*
R106. Gibier de potence, *par Kurt Vonnegut*
R107. Memory Lane, *par Patrick Modiano* dessins de Pierre Le Tan
R108. L'Affreux Pastis de la rue des Merles *par Carlo Emilio Gadda*
R109. La Fontaine obscure, *par Raymond Jean*
R110. L'Hôtel New Hampshire, *par John Irving*
R111. Les Immémoriaux, *par Victor Segalen*
R112. Cœur de lièvre, *par John Updike*
R113. Le Temps d'un royaume, *par Rose Vincent*
R114. Poisson-chat, *par Jerome Charyn*
R115. Abraham de Brooklyn, *par Didier Decoin*
R116. Trois Femmes, *suivi de* Noces, *par Robert Musil*
R117. Les Enfants du sabbat, *par Anne Hébert*
R118. La Palmeraie, *par François-Régis Bastide*
R119. Maria Republica, *par Agustin Gomez-Arcos*
R120. La Joie, *par Georges Bernanos*
R121. Incognito, *par Petru Dumitriu*

R122. Les Forteresses noires, *par Patrick Grainville*
R123. L'Ange des ténèbres, *par Ernesto Sabato*
R124. La Fiera, *par Marie Susini*
R125. La Marche de Radetzky, *par Joseph Roth*
R126. Le vent souffle où il veut, *par Paul-André Lesort*
R127. Si j'étais vous..., *par Julien Green*
R128. Le Mendiant de Jérusalem, *par Elie Wiesel*
R129. Mortelle, *par Christopher Frank*
R130. La France m'épuise, *par Jean-Louis Curtis*
R131. Le Chevalier inexistant, *par Italo Calvino*
R132. Dialogues des Carmélites, *par Georges Bernanos*
R133. L'Étrusque, *par Mika Waltari*
R134. La Rencontre des hommes, *par Benigno Cacérès*
R135. Le Petit Monde de Don Camillo, *par Giovanni Guareschi*
R136. Le Masque de Dimitrios, *par Eric Ambler*
R137. L'Ami de Vincent, *par Jean-Marc Roberts*
R138. Un homme au singulier, *par Christopher Isherwood*
R139. La Maison du désir, *par France Huser*
R140. Moi et ma cheminée, *par Herman Melville*
R141. Les Fous de Bassan, *par Anne Hébert*
R142. Les Stigmates, *par Luc Estang*
R143. Le Chat et la Souris, *par Günter Grass*
R144. Loïca, *par Dorothée Letessier*
R145. Paradiso, *par José Lezama Lima*
R146. Passage de Milan, *par Michel Butor*
R147. Anonymus, *par Michèle Manceaux*
R148. La Femme du dimanche
par Carlo Fruttero et Franco Lucentini
R149. L'Amour monstre, *par Louis Pauwels*
R150. L'Arbre à soleils, *par Henri Gougaud*
R151. Traité du zen et de l'entretien des motocyclettes
par Robert M. Pirsig
R152. L'Enfant du cinquième Nord, *par Pierre Billon*
R153. N'envoyez plus de roses, *par Eric Ambler*
R154. Les Trois Vies de Babe Ozouf, *par Didier Decoin*
R155. Le Vert Paradis, *par André Brincourt*
R156. Varouna, *par Julien Green*
R157. L'Incendie de Los Angeles, *par Nathanaël West*
R158. Les Belles de Tunis, *par Nine Moati*
R159. Vertes Demeures, *par William Henry Hudson*
R160. Les Grandes Vacances, *par Francis Ambrière*
R161. Ceux de 14, *par Maurice Genevoix*
R162. Les Villes invisibles, *par Italo Calvino*
R163. L'Agent secret, *par Graham Greene*
R164. La Lézarde, *par Edouard Glissant*

R165. Le Grand Escroc, *par Herman Melville*
R166. Lettre à un ami perdu, *par Patrick Besson*
R167. Evaristo Carriego, *par Jorge Luis Borges*
R168. La Guitare, *par Michel del Castillo*
R169. Épitaphe pour un espion, *par Eric Ambler*
R170. Fin de saison au Palazzo Pedrotti, *par Frédéric Vitoux*
R171. Jeunes Années. Autobiographie 1, *par Julien Green*
R172. Jeunes Années. Autobiographie 2, *par Julien Green*
R173. Les Égarés, *par Frédérick Tristan*
R174. Une affaire de famille, *par Christian Giudicelli*
R175. Le Testament amoureux, *par Rezvani*
R176. C'était cela notre amour, *par Marie Susini*
R177. Souvenirs du triangle d'or, *par Alain Robbe-Grillet*
R178. Les Lauriers du lac de Constance, *par Marie Chaix*
R179. Plan B, *par Chester Himes*
R180. Le Sommeil agité, *par Jean-Marc Roberts*
R181. Roman Roi, *par Renaud Camus*
R182. Vingt Ans et des poussières, *par Didier van Cauwelaert*
R183. Le Château des destins croisés, *par Italo Calvino*
R184. Le Vent de la nuit, *par Michel del Castillo*
R185. Une curieuse solitude, *par Philippe Sollers*
R186. Les Trafiquants d'armes, *par Eric Ambler*
R187. Un printemps froid, *par Danièle Sallenave*
R188. Mickey l'Ange, *par Geneviève Dormann*
R189. Histoire de la mer, *par Jean Cayrol*
R190. Senso, par *Camillo Boito*
R191. Sous le soleil de Satan, *par Georges Bernanos*
R192. Niembsch ou l'immobilité, *par Peter Härtling*
R193. Prends garde à la douceur des choses
par Raphaële Billetdoux
R194. L'Agneau carnivore, *par Agustin Gomez-Arcos*
R195. L'Imposture, *par Georges Bernanos*
R196. Ararat, *par D. M. Thomas*
R197. La Croisière de l'angoisse, *par Eric Ambler*
R198. Léviathan, *par Julien Green*
R199. Sarnia, *par Gerald Basil Edwards*
R200. Le Colleur d'affiches, *par Michel del Castillo*
R201. Un mariage poids moyen, *par John Irving*
R202. John l'Enfer, *par Didier Decoin*
R203. Les Chambres de bois, *par Anne Hébert*
R204. Mémoires d'un jeune homme rangé
par Tristan Bernard
R205. Le Sourire du Chat, *par François Maspero*
R206. L'Inquisiteur, *par Henri Gougaud*

R207. La Nuit américaine, *par Christopher Frank*
R208. Jeunesse dans une ville normande
par Jacques-Pierre Amette
R209. Fantôme d'une puce, *par Michel Braudeau*
R210. L'Avenir radieux, *par Alexandre Zinoviev*
R211. Constance D., *par Christian Combaz*
R212. Épaves, *par Julien Green*
R213. La Leçon du maître, *par Henry James*
R214. Récit des temps perdus, *par Aris Fakinos*
R215. La Fosse aux chiens, *par John Cowper Powys*
R216. Les Portes de la forêt, *par Elie Wiesel*
R217. L'Affaire Deltchev, *par Eric Ambler*
R218. Les amandiers sont morts de leurs blessures
par Tahar Ben Jelloun
R219. L'Admiroir, *par Anny Duperey*
R220. Les Grands Cimetières sous la lune
par Georges Bernanos
R221. La Créature, *par Étienne Barilier*
R222. Un Anglais sous les tropiques, *par William Boyd*
R223. La Gloire de Dina, *par Michel del Castillo*
R224. Poisson d'amour, *par Didier van Cauwelaert*
R225. Les Yeux fermés, *par Marie Susini*
R226. Cobra, *par Severo Sarduy*
R227. Cavalerie rouge, *par Isaac Babel*
R228. Tous les soleils, *par Bertrand Visage*
R229. Pétersbourg, *par Andréi Biély*
R230. Récits d'un jeune médecin, *par Mikhaïl Boulgakov*
R231. La Maison des prophètes, *par Nicolas Saudray*
R232. Trois Heures du matin à New York
par Herbert Lieberman
R233. La Mère du printemps, *par Driss Chraïbi*
R234. Adrienne Mesurat, *par Julien Green*
R235. Jusqu'à la mort, *par Amos Oz*
R236. Les Envoûtés, *par Witold Gombrowicz*
R237. Frontière des ténèbres, *par Eric Ambler*
R238. Les Deux Sacrements, *par Heinrich Böll*
R239. Cherchant qui dévorer, *par Luc Estang*
R240. Le Tournant, histoire d'une vie, *par Klaus Mann*
R241. Aurélia, *par France Huser*
R242. Le Sixième Hiver, *par Douglas Orgill et John Gribbin*
R243. Naissance d'un spectre, *par Frédérick Tristan*
R244. Lorelei, *par Maurice Genevoix*
R245. Le Bois de la nuit, *par Djuna Barnes*
R246. La Caverne céleste, *par Patrick Grainville*
R247. L'Alliance, tome 1, *par James A. Michener*
R248. L'Alliance, tome 2, *par James A. Michener*

R249. Juliette, chemin des Cerisiers, *par Marie Chaix*
R250. Le Baiser de la femme-araignée, *par Manuel Puig*
R251. Le Vésuve, *par Emmanuel Roblès*
R252. Comme neige au soleil, *par William Boyd*
R253. Palomar, *par Italo Calvino*
R254. Le Visionnaire, *par Julien Green*
R255. La Revanche, *par Henry James*
R256. Les Années-lumière, *par Rezvani*
R257. La Crypte des capucins, *par Joseph Roth*
R258. La Femme publique, *par Dominique Garnier*
R259. Maggie Cassidy, *par Jack Kerouac*
R260. Mélancolie Nord, *par Michel Rio*
R261. Énergie du désespoir, *par Eric Ambler*
R262. L'Aube, *par Elie Wiesel*

Collection Points

1. Histoire du surréalisme, *par Maurice Nadeau*
2. Une théorie scientifique de la culture *par Bronislaw Malinowski*
3. Malraux, Camus, Sartre, Bernanos, *par Emmanuel Mounier*
4. L'Homme unidimensionnel, *par Herbert Marcuse* (épuisé)
5. Écrits I, *par Jacques Lacan*
6. Le Phénomène humain, *par Pierre Teilhard de Chardin*
7. Les Cols blancs, *par C. Wright Mills*
8. Stendhal, Flaubert, *par Jean-Pierre Richard*
9. La Nature dé-naturée, *par Jean Dorst*
10. Mythologies, *par Roland Barthes*
11. Le Nouveau Théâtre américain, *par Franck Jotterand* (épuisé)
12. Morphologie du conte, *par Vladimir Propp*
13. L'Action sociale, *par Guy Rocher*
14. L'Oganisation sociale, *par Guy Rocher*
15. Le Changement social, *par Guy Rocher*
16. Les Étapes de la croissance économique, *par W. W. Rostow*
17. Essais de linguistique générale *par Roman Jakobson* (épuisé)
18. La Philosophie critique de l'histoire, *par Raymond Aron*
19. Essais de sociologie, *par Marcel Mauss*
20. La Part maudite, *par Georges Bataille* (épuisé)
21. Écrits II, *par Jacques Lacan*
22. Éros et Civilisation, *par Herbert Marcuse* (épuisé)
23. Histoire du roman français depuis 1918 *par Claude-Edmonde Magny*
24. L'Écriture et l'Expérience des limites, *par Philippe Sollers*
25. La Charte d'Athènes, *par Le Corbusier*
26. Peau noire, Masques blancs, *par Frantz Fanon*
27. Anthropologie, *par Edward Sapir*
28. Le Phénomène bureaucratique, *par Michel Crozier*
29. Vers une civilisation du loisir?, *par Joffre Dumazedier*
30. Pour une bibliothèque scientifique, *par François Russo* (épuisé)
31. Lecture de Brecht, *par Bernard Dort*
32. Ville et Révolution, *par Anatole Kopp*
33. Mise en scène de Phèdre, *par Jean-Louis Barrault*
34. Les Stars, *par Edgar Morin*
35. Le Degré zéro de l'écriture, *suivi de* Nouveaux Essais critiques *par Roland Barthes*
36. Libérer l'avenir, *par Ivan Illich*
37. Structure et Fonction dans la société primitive *par A. R. Radcliffe-Brown*

38. Les Droits de l'écrivain, *par Alexandre Soljénitsyne*
39. Le Retour du tragique, *par Jean-Marie Domenach*
41. La Concurrence capitaliste
par Jean Cartell et Pierre-Yves Cossé (épuisé)
42. Mise en scène d'Othello, *par Constantin Stanislavski*
43. Le Hasard et la Nécessité, *par Jacques Monod*
44. Le Structuralisme en linguistique, *par Oswald Ducrot*
45. Le Structuralisme : Poétique, *par Tzvetan Todorov*
46. Le Structuralisme en anthropologie, *par Dan Sperber*
47. Le Structuralisme en psychanalyse, *par Moustafa Safouan*
48. Le Structuralisme : Philosophie, *par François Wahl*
49. Le Cas Dominique, *par Françoise Dolto*
51. Trois Essais sur le comportement animal et humain
par Konrad Lorenz
52. Le Droit à la ville, *suivi de* Espace et Politique
par Henri Lefebvre
53. Poèmes, *par Léopold Sédar Senghor*
54. Les Élégies de Duino, *suivi de* les Sonnets à Orphée
par Rainer Maria Rilke (édition bilingue)
55. Pour la sociologie, *par Alain Touraine*
56. Traité du caractère, *par Emmanuel Mounier*
57. L'Enfant, sa « maladie » et les autres, *par Maud Mannoni*
58. Langage et Connaissance, *par Adam Schaff*
59. Une saison au Congo, *par Aimé Césaire*
61. Psychanalyser, *par Serge Leclaire*
63. Mort de la famille, *par David Cooper*
64. A quoi sert la Bourse?, *par Jean-Claude Leconte* (épuisé)
65. La Convivialité, *par Ivan Illich*
66. L'Idéologie structuraliste, *par Henri Lefebvre*
67. La Vérité des prix, *par Hubert Lévy-Lambert* (épuisé)
68. Pour Gramsci, *par Maria-Antonietta Macciocchi*
69. Psychanalyse et Pédiatrie, *par Françoise Dolto*
70. S/Z, *par Roland Barthes*
71. Poésie et Profondeur, *par Jean-Pierre Richard*
72. Le Sauvage et l'Ordinateur, *par Jean-Marie Domenach*
73. Introduction à la littérature fantastique
par Tzvetan Todorov
74. Figures I, *par Gérard Genette*
75. Dix Grandes Notions de la sociologie, *par Jean Cazeneuve*
76. Mary Barnes, un voyage à travers la folie
par Mary Barnes et Joseph Berke
77. L'Homme et la Mort, *par Edgar Morin*
78. Poétique du récit, *par Roland Barthes, Wayne Booth*
Philippe Hamon et Wolfgang Kayser
79. Les Libérateurs de l'amour, *par Alexandrian*

80. Le Macroscope, *par Joël de Rosnay*
81. Délivrance, *par Maurice Clavel et Philippe Sollers*
82. Système de la peinture, *par Marcelin Pleynet*
83. Pour comprendre les média, *par M. McLuhan*
84. L'Invasion pharmaceutique
par Jean-Pierre Dupuy et Serge Karsenty
85. Huit Questions de poétique, *par Roman Jakobson*
86. Lectures du désir, *par Raymond Jean*
87. Le Traître, *par André Gorz*
88. Psychiatrie et Anti-Psychiatrie, *par David Cooper*
89. La Dimension cachée, *par Edward T. Hall*
90. Les Vivants et la Mort, *par Jean Ziegler*
91. L'Unité de l'homme, *par le Centre Royaumont*
1. Le primate et l'homme, *par E. Morin et M. Piattelli-Palmarini*
92. L'Unité de l'homme, *par le Centre Royaumont*
2. Le cerveau humain, *par E. Morin et M. Piattelli-Palmarini*
93. L'Unité de l'homme, *par le Centre Royaumont*
3. Pour une anthropologie fondamentale
par E. Morin et M. Piattelli-Palmarini
94. Pensées, *par Blaise Pascal*
95. L'Exil intérieur, *par Roland Jaccard*
96. Semeiotiké, recherches pour une sémanalyse
par Julia Kristeva
97. Sur Racine, *par Roland Barthes*
98. Structures syntaxiques, *par Noam Chomsky*
99. Le Pyschiatre, son « fou » et la psychanalyse
par Maud Mannoni
100. L'Écriture et la Différence, *par Jacques Derrida*
101. Le Pouvoir africain, *par Jean Ziegler*
102. Une logique de la communication
par P. Watzlawick, J. Helmick Beavin, Don D. Jackson
103. Sémantique de la poésie, *par T. Todorov, W. Empson*
J. Cohen, G. Hartman et F. Rigolot
104. De la France, *par Maria-Antonietta Macciocchi*
105. Small is beautiful, *par E. F. Schumacher*
106. Figures II, *par Gérard Genette*
107. L'Œuvre ouverte, *par Umberto Eco*
108. L'Urbanisme, *par Françoise Choay*
109. Le Paradigme perdu, *par Edgar Morin*
110. Dictionnaire encyclopédique des sciences du langage
par Oswald Ducrot et Tzvetan Todorov
111. L'Évangile au risque de la psychanalyse (tome 1)
par Françoise Dolto
112. Un enfant dans l'asile, *par Jean Sandretto*

113. Recherche de Proust, *ouvrage collectif*
114. La Question homosexuelle, *par Marc Oraison*
115. De la psychose paranoïaque dans ses rapports avec la personnalité, *par Jacques Lacan*
116. Sade, Fourier, Loyola, *par Roland Barthes*
117. Une société sans école, *par Ivan Illich*
118. Mauvaises Pensées d'un travailleur social *par Jean Marie Geng*
120. Poétique de la prose, *par Tzvetan Todorov*
121. Théorie d'ensemble, *par Tel Quel*
122. Némésis médicale, *par Ivan Illich*
123. La Méthode
 1. La Nature de la Nature, *par Edgar Morin*
124. Le Désir et la Perversion, *ouvrage collectif*
125. Le langage, cet inconnu, *par Julia Kristeva*
126. On tue un enfant, *par Serge Leclaire*
127. Essais critiques, *par Roland Barthes*
128. Le Je-ne-sais-quoi et le Presque-rien
 1. La manière et l'occasion, *par Vladimir Jankélévitch*
129. L'Analyse structurale du récit, Communications 8 *ouvrage collectif*
130. Changements, Paradoxes et Psychothérapie *par P. Watzlawick, J. Weakland et R. Fisch*
131. Onze Études sur la poésie moderne *par Jean-Pierre Richard*
132. L'Enfant arriéré et sa mère, *par Maud Mannoni*
133. La Prairie perdue (Le roman américain) *par Jacques Cabau*
134. Le Je-ne-sais-quoi et le Presque-rien
 2. La méconnaissance, *par Vladimir Jankélévitch*
135. Le Plaisir du texte, *par Roland Barthes*
136. La Nouvelle Communication, *ouvrage collectif*
137. Le Vif du sujet, *par Edgar Morin*
138. Théories du langage, théories de l'apprentissage *par le Centre Royaumont*
139. Baudelaire, la Femme et Dieu, *par Pierre Emmanuel*
140. Autisme et Psychose de l'enfant, *par Frances Tustin*
141. Le Harem et les Cousins, *par Germaine Tillion*
142. Littérature et Réalité, *ouvrage collectif*
143. La Rumeur d'Orléans, *par Edgar Morin*
144. Partage des femmes, *par Eugénie Lemoine-Luccioni*
145. L'Évangile au risque de la psychanalyse (tome 2) *par Françoise Dolto*
146. Rhétorique générale, *par le Groupe μ*
147. Système de la Mode, *par Roland Barthes*

148. Démasquer le réel, *par Serge Leclaire*
149. Le Juif imaginaire, *par Alain Finkielkraut*
150. Travail de Flaubert, *ouvrage collectif*
151. Journal de Californie, *par Edgar Morin*
152. Pouvoirs de l'horreur, *par Julia Kristeva*
153. Introduction à la philosophie de l'histoire de Hegel
par Jean Hyppolite
154. La Foi au risque de la psychanalyse
par Françoise Dolto et Gérard Sévérin
155. Un lieu pour vivre, *par Maud Mannoni*
156. Scandale de la vérité, *suivi de*
Nous autres, Français, *par Georges Bernanos*
157. Enquête sur les idées contemporaines
par Jean-Marie Domenach
158. L'Affaire Jésus, *par Henri Guillemin*
159. Paroles d'étranger, *par Elie Wiesel*
160. Le Langage silencieux, *par Edward T. Hall*
161. La Rive gauche, *par Herbert R. Lottman*
162. La Réalité de la réalité, *par Paul Watzlawick*
163. Les Chemins de la vie, *par Joël de Rosnay*
164. Dandies, *par Roger Kempf*
165. Histoire personnelle de la France, *par François George*
166. La Puissance et la Fragilité, *par Jean Hamburger*
167. Le Traité du sablier, *par Ernst Jünger*
168. Pensée de Rousseau, *ouvrage collectif*
169. La Violence du calme, *par Viviane Forrester*
170. Pour sortir du XXe siècle
par Edgar Morin
171. La Communication, Hermès 1
par Michel Serres
172. Sexualités occidentales, Communications 35
ouvrage collectif
173. Lettre aux Anglais, *par Georges Bernanos*
174. La Révolution du langage poétique
par Julia Kristeva
175. La Méthode
2. La Vie de la Vie, *par Edgar Morin*
176. Théories du symbole, *par Tzvetan Todorov*
177. Mémoires d'un névropathe
par Daniel Paul Schreber
178. Les Indes, *par Édouard Glissant*
179. Clefs pour l'Imaginaire ou l'Autre Scène
par Octave Mannoni
180. La Sociologie des organisations, *par Philippe Bernoux*
181. Théorie des genres, *ouvrage collectif*

182. Le Je-ne-sais-quoi et le Presque-rien
 3. La volonté de vouloir, *par Vladimir Jankélévitch*
183. Traité du rebelle, *par Ernst Jünger*
184. Un homme en trop, *par Claude Lefort*
185. Théâtres, *par Bernard Dort*
186. Le Langage du changement, *par Paul Watzlawick*

Collection Points

SÉRIE ACTUELS

A1. Lettres de prison, *par Gabrielle Russier* (épuisé)
A2. J'étais un drogué, *par Guy Champagne*
A3. Les Dossiers noirs de la police française, *par Denis Langlois*
A4. Do It, *par Jerry Rubin*
A5. Les Industriels de la fraude fiscale, *par Jean Cosson*
A6. Entretiens avec Allende, *par Régis Debray* (épuisé)
A7. De la Chine, *par Maria-Antonietta Macciocchi*
A8. Après la drogue, *par Guy Champagne*
A9. Les Grandes Manœuvres de l'opium
par Catherine Lamour et Michel Lamberti
A10. Les Dossiers noirs de la justice française, *par Denis Langlois*
A11. Le Dossier confidentiel de l'euthanasie
par Igor Barrère et Étienne Lalou
A12. Discours américains, *par Alexandre Soljénitsyne*
A13. Les Exclus, *par René Lenoir*
A14. Souvenirs obscurs d'un Juif polonais né en France
par Pierre Goldman
A15. Le Mandarin aux pieds nus, *par Alexandre Minkowski*
A16. Une Suisse au-dessus de tout soupçon, *par Jean Ziegler*
A17. La Fabrication des mâles
par Georges Falconnet et Nadine Lefaucheur
A18. Rock babies, *par Raoul Hoffmann et Jean-Marie Leduc*
A19. La nostalgie n'est plus ce qu'elle était, *par Simone Signoret*
A20. L'Allergie au travail, *par Jean Rousselet*
A21. Deuxième Retour de Chine
par Claudie et Jacques Broyelle et Évelyne Tschirhart
A22. Je suis comme une truie qui doute, *par Claude Duneton*
A23. Travailler deux heures par jours, *par Adret*
A24. Le rugby, c'est un monde, *par Jean Lacouture*
A25. La Plus Haute des solitudes, *par Tahar Ben Jelloun*
A26. Le Nouveau Désordre amoureux
par Pascal Bruckner et Alain Finkielkraut
A27. Voyage inachevé, *par Yehudi Menuhin*
A28. Le communisme est-il soluble dans l'alcool?
par Antoine et Philippe Meyer
A29. Sciences de la vie et Société
par François Gros, François Jacob et Pierre Royer
A30. Anti-manuel de français
par Claude Duneton et Jean-Pierre Pagliano
A31. Cet enfant qui se drogue, c'est le mien, *par Jacques Guillon*

A32. Les Femmes, la Pornographie, l'Érotisme
par Marie-Françoise Hans et Gilles Lapouge
A33. Parole d'homme, *par Roger Garaudy*
A34. Nouveau Guide des médicaments, *par le Dr Henri Pradal*
A35. Rue du Prolétaire rouge, *par Nina et Jean Kéhayan*
A36. Main basse sur l'Afrique, *par Jean Ziegler*
A37. Un voyage vers l'Asie, *par Jean-Claude Guillebaud*
A38. Appel aux vivants, *par Roger Garaudy*
A39. Quand vient le souvenir, *par Saul Friedländer*
A40. La Marijuana, *par Solomon H. Snyder*
A41. Un lit à soi, *par Évelyne Le Garrec*
A42. Le lendemain, elle était souriante...
par Simone Signoret
A43. La Volonté de guérir, *par Norman Cousins*
A44. Les Nouvelles Sectes, *par Alain Woodrow*
A45. Cent Ans de chanson française
par Chantal Brunschwig, Louis-Jean Calvet
et Jean-Claude Klein
A46. La Malbouffe, *par Stella et Joël de Rosnay*
A47. Médecin de la liberté, *par Paul Milliez*
A48. Un Juif pas très catholique, *par Alexandre Minkowski*
A49. Un voyage en Océanie, *par Jean-Claude Guillebaud*
A50. Au coin de la rue, l'aventure
par Pascal Bruckner et Alain Finkielkraut
A51. John Reed, *par Robert Rosenstone*
A52. Le Tabouret de Piotr, *par Jean Kéhayan*
A53. Le Temps qui tue, le temps qui guérit
par le Dr Fernand Attali
A54. La Lumière médicale, *par Norbert Bensaïd*
A55. Californie (Le nouvel âge)
par Sylvie Crossman et Édouard Fenwick
A56. La Politique du mâle, *par Kate Millett*
A57. Contraception, grossesse, IVG
par Pierrette Bello, Catherine Dolto et Aline Schiffmann
A58. Marthe, *anonyme*
A59. Pour un nouveau-né sans risque
par Alexandre Minkowski
A60. La Vie, tu parles, *par Libération*
A61. Les Bons Vins et les Autres
par Pierre-Marie Doutrelant
A62. Comment peut-on être breton?
par Morvan Lebesque
A63. Les Français, *par Theodore Zeldin*
A64. La Naissance d'une famille, *par T. Berry Brazelton*
A65. Hospitalité française, *par Tahar Ben Jelloun*

A66. L'Enfant à tout prix
par Geneviève Delaisi de Parseval et Alain Janaud
A67. La Rouge Différence, *par Françoise Edmonde Morin*
A68. Regard sur les Françaises, *par Michèle Sarde*
A69. A hurler le soir au fond des collèges
par Claude Duneton avec la collaboration de Frédéric Pagès
A70. L'Avenir en face, *par Alain Minc*
A71. Je t'aime d'amitié, *par la revue « Autrement »*
A72. Couples!, *par la revue « Autrement »*
A73. Le Sanglot de l'homme blanc, *par Pascal Bruckner*
A74. BCBG, le guide du bon chic bon genre
par Thierry Mantoux
A75. Ils partiront dans l'ivresse, *par Lucie Aubrac*
A76. Tant qu'il y aura des profs
par Hervé Hamon et Patrick Rotman
A77. Femmes à 50 ans, *par Michèle Thiriet et Suzanne Képès*

Collection Points

SÉRIE SCIENCES

dirigée par Jean-Marc Lévy-Leblond

S34. La Recherche en physique nucléaire, *ouvrage collectif*
S35. Marie Curie, *par Robert Reid*
S36. L'Espace et le Temps aujourd'hui, *ouvrage collectif*
S37. La Recherche en histoire des sciences, *ouvrage collectif*
S38. Petite Logique des forces, *par Paul Sandori*
S39. L'Esprit de sel, *par Jean-Marc Lévy-Leblond*
S40. Le Dossier de l'énergie
par le Groupe confédéral énergie de la CFDT
S41. Comprendre notre cerveau, *par Jacques-Michel Robert*
S42. La Radioactivité artificielle
par Monique Bordry et Pierre Radvanyi
S43. Darwin et les Grandes Énigmes de la vie
par Stephen Jay Gould
S44. Au péril de la science?, *par Albert Jacquard*
S45. La Recherche sur la génétique et l'hérédité
ouvrage collectif
S46. Le Monde quantique, *ouvrage collectif*
S47. De Thalès à Einstein, *par Jean Rosmorduc*
S48. Le Fil du temps, *par André Leroi-Gourhan*
S49. Une histoire des mathématiques
par Amy Dahan-Dalmedico et Jeanne Peiffer
S50. Les Structures du hasard, *par Jean-Louis Boursin*
S51. Entre le cristal et la fumée, *par Henri Atlan*
S52. La Recherche en intelligence artificielle, *ouvrage collectif*